HURRA!!! PO POLSKU 2

Agnieszka Burkat
Agnieszka Jasińska

ZESZYT ĆWICZEŃ

Prolog
SZKOŁA JĘZYKÓW OBCYCH

Podręcznik PO POLSKU 2 powstał w ramach projektu „Hurra!!!" Socrates Lingua 2 (nr 103360-CP-1-2002-1-PL-LINGUA-L2)

SOCRATES TRANSNATIONAL CO-OPERATION PROJECT
LINGUA ACTION 2 - DEVELOPMENT OF TOOLS AND MATERIALS

HURRA!!! A COMPREHENSIVE SET OF POLISH TEACHING AND LEARNING MATERIALS
103360-CP-1-2002-1-PL-LINGUA-L2

This project has been carried out with the support of the European Community in the framework of the Socrates programme.

The content of this project does not necessarily reflect the position of the European Community, nor does it involve any responsibility on the part of the European Community.

Redaktor prowadzący serii HURRA!!!: Agata Stępnik-Siara
Konsultacje metodyczne: Ron Mukerji
Recenzenci: prof. dr hab. Anna Dąbrowska, prof. dr hab. Jan Mazur, dr Waldemar Martyniuk

Ośrodki współpracujące i testujące podręczniki:
Uniwersytet Wiedeński, Instytut Slawistyki (www.univie.ac.at/slawistik)
Uniwersytet Jagielloński, Szkoła Języka i Kultury Polskiej UJ (www.uj.edu.pl/SL)
The Brasshouse Centre Birmingham (www.birmingham.gov.uk/brasshouse)
Kolleg für Polnische Sprache und Kultur Berlin (www.kolleg.pl)

Projekt graficzny i łamanie: Studio Quadro (www.quadro.com.pl)
Projekt okładki: Studio Quadro (www.quadro.com.pl)
Redakcja językowa i korekty: Katarzyna Szklanny (KS & zespół)
Nagrania: Studio Nagrań Nieustraszeni Łowcy Dźwięków (www.nld.com.pl)
Dobór zdjęć do lekcji: Studio Quadro (www.quadro.com.pl)

Autorzy i Wydawcy serii HURRA!!! pragną podziękować wszystkim, którzy przyczynili się do powstania serii. Bez ich wsparcia nie udałoby się zrealizować projektu i złożyć książek do druku.
Recenzentom i konsultantom, w szczególności pani prof. Annie Dąbrowskiej za szczegółową recenzję części serii: PO POLSKU 1, PO POLSKU 2, PO POLSKU 3 oraz za cenne wskazówki przekazane Autorkom.
Nauczycielom testującym podręczniki w Szkole Języków Obcych PROLOG: Izie Murzyn, Romanowi Jendrusiowi, Simonowi Lunn i Robertowi Syposzowi oraz Edycie Gałat testującej materiały w Szkole Języka i Kultury Polskiej UJ w Krakowie.
Nauczycielom testującym materiały w ośrodkach zagranicznych: dr Grzegorzowi Gugulskiemu (Uniwersytet Wiedeński), Ewie Krauss (Uniwersytet w Jenie), Annie Zinserling, Jolancie Schmidt, Beacie Dietrich, Alexandrze Czupalla, Magdalenie Wiażewicz, Ewelinie Meyer, Arturowi Kolasińskiemu, Lidii Liebmann (Kolleg für Polnische Sprache und Kultur, Berlin) oraz Bogumile Brożek--Miller (The Brasshouse Centre Birmingham). Autorki dziękują również Piotrowi Paliwodzie za całą pomoc, której udzielił podczas trwania projektu.
Wszystkim osobom, które użyczyły swoich głosów do nagrań próbnych (rodzinom i znajomym Autorek oraz uczestnikom kursów języka polskiego w szkole PROLOG), a także pani Ruth Fruchtman za udostępnienie sprzętu nagrywającego.

ISBN 978-83-60229-27-9
Przygotowanie do druku: Pogotowie Reklamowe ERKA (www.erka-pr.com)
Druk: Colonel

PROLOG Szkoła Języków Obcych
ul. Bronowicka 37, 30-084 Kraków
tel./faks +48 (12) 638 45 50, tel. +48 (12) 638 45 65
e-mail: books@prolog.edu.pl
www.prolog.edu.pl

spis treści

● Słownictwo

1 Proszę dokończyć zdania, wpisując odpowiedni przymiotnik:

√ leniwy   nerwowy   roztrzepany   smutny   zabawny

0. Piotr jest bardzo pracowity, ale bywa .... *leniwy* ....
1. Ewa jest wesołą, towarzyską osobą, rzadko bywa ....
2. To świetny dziennikarz, ale czasem bywa ....
3. Jerzy Stuhr jest wrażliwym aktorem, bywa też ....
4. Zwykle jestem spokojna, ale w pewnych sytuacjach bywam ....

2 Proszę ułożyć zdania według wzoru:

0. Osoba, która lubi ludzi, jest ... *towarzyska* ....
1. Człowiek, który szybko reaguje, jest ....
2. Osoba, która lubi być sama, jest ....
3. Człowiek, który lubi podróżować, jest ....
4. Osoba, która nie boi się, jest ....
5. Człowiek, który dużo pracuje i to lubi, jest ....

● Gramatyka

3 Proszę ułożyć zdania według wzoru:

0. Anna pracowita / leniwa
   Anna jest pracowita, chociaż wygląda na leniwą. ....
1. Maria smutna / wesoła
   ....
2. on zdecydowany / niezdecydowany
   ....
3. Piotr nieśmiały / pewny siebie
   ....
4. Marek dobrze zorganizowany / roztrzepany
   ....
5. Jan otwarty / zamknięty w sobie
   ....
6. Ewa interesująca / nieciekawa
   ....
7. Wojtek wrażliwy / cyniczny
   ....

4 Proszę dopisać antonimy według wzoru:

0. Oni są ..... *pracowici* ...., chociaż wyglądają na leniwych.
1. Oni są ...., chociaż wyglądają na wesołych.
2. Oni są ...., chociaż wyglądają na pewnych siebie.
3. Oni są ...., chociaż wyglądają na otwartych.
4. Oni są ...., chociaż wyglądają na niezdecydowanych.
5. Oni są ...., chociaż wyglądają na spokojnych.

5 Proszę uzupełnić tabelę.

on jest...	oni są...	on jest...	oni są...	on jest...	oni są...
sympatyczny	*sympatyczni*	głupi			zdecydowani
	otwarci		mądrzy	zamknięty w sobie	
	smutni		aroganccy		spokojni
wesoły			leniwi	towarzyski	
		pracowity			

6 Proszę wysłuchać następujących opisów i powiedzieć, czy opinia na temat tych osób jest pozytywna czy negatywna.

CD 2

	a	b	c	d	e	f
opinia pozytywna	X	☐	☐	☐	☐	☐
opinia negatywna	☐	☐	☐	☐	☐	☐

● **Słownictwo**

7 Proszę uzupełnić dialogi:

> Nie rozumiem, dlaczego krytykujesz   Masz rację   Bardzo lubię   Zgadzam się
> Nie zgadzam się z tobą,   jest super   mnie irytuje   Trudno powiedzieć coś złego o
> Denerwuje mnie   to bardzo kontrowersyjna osoba √Nie rozumiem   jest bardzo towarzyska

a)
– ...*Nie rozumiem*,.. dlaczego spotykasz się z Anką. Naprawdę ją lubisz? Ona jest bardzo zarozumiała!
– ....! To świetna dziewczyna. Może wygląda na zarozumiałą, ale ona jest po prostu pewna siebie. Anka jest dobrą koleżanką, po prostu jej nie znasz.
– Może, ale ona ....

b)
– Lubisz tego Jarka?
– Hmm, sam nie wiem. .... Jarku. Jest inteligentny, ale taki... „odizolowany", zamknięty w sobie. Nie wszyscy go lubią.
– Myślę, że ....

c)
– .... Arek, jest strasznym egocentrykiem.
– ...., ja też go nie lubię.

d)
– .... Monikę! Ona jest taka wesoła i towarzyska.
– O.K. ...., Monika ...., ale roztrzepana i niepunktualna, a ja nie lubię nieodpowiedzialnych ludzi.

e)
– Karol ...., nie? Taki przystojny i zabawny!
– ...., może nie jest brzydki, ale na pewno nie zabawny. Jest arogancki i głupi. Nie lubię typu macho!!!

8a Proszę przeczytać fragment artykułu o gwiazdach w reklamie i znaleźć właściwą odpowiedź w pytaniach poniżej:

Gwiazdy są w jakimś sensie sformatowane, czyli reklamują produkty, do których pasuje ich wizerunek. Na przykład Catherine Deneuve czy Elizabeth Taylor kojarzą się z klasą i wysokim statusem społecznym, więc reklamują zwykle artykuły luksusowe. Christina Aguilera uznawana jest za osobę o prowokującej powierzchowności i to właśnie pomogło jej zostać twarzą Versace.

(...)

Zanim producent wody Arctic zatrudnił Cindy Crawford, zlecono badania, z których wynikało, że to właśnie ona najbardziej kojarzy się w Polsce z ćwiczeniami fitness i szczupłą sylwetką.

(...)

Adam Małysz byłby dobrze odbierany w reklamach soków (zdrowo się odżywia), sprzętu sportowego (jest mistrzem), telefonów komórkowych (często dzwoni do żony) czy linii lotniczych (często lata na zawody).

(...)

Konsumenci cenią jednak nie tylko urodę gwiazd, ale także ich inteligencję, talent czy pracowitość. Nieprzypadkowo twarzą Choparda została Sharon Stone, kobieta piękna, ale w sposób niebanalny, seksowna, ale i dystyngowana, no i inteligentna.

1. Czy Catherine Deneuve kojarzy się z:
   a) klasą i wysokim statusem społecznym?
   b) fitnessem?
   c) sukcesami sportowymi?

2. Czy Christina Aguilera kojarzy się z(e):
   a) klasą i wysokim statusem społecznym?
   b) prowokacyjnym wizerunkiem?
   c) zdrowym stylem życia?

3. Czy Cindy Crawford kojarzy się z(e):
   a) sportem i szczupłą sylwetką?
   b) klasą?
   c) apetytem?

4. Czy Adam Małysz kojarzy się z:
   a) profesjonalizmem w sporcie?
   b) klasą i wysokim statusem społecznym?
   c) prowokacją?

5. Czy Adam Małysz może się także kojarzyć z(e):
   a) apetytem?
   b) seksapilem?
   c) zdrowym stylem życia?

6. Czy Sharon Stone kojarzy się z(e):
   a) urodą i inteligencją?
   b) edukacją i nauką?
   c) zdrową dietą?

8b Proszę odpowiedzieć na pytania do tekstu:

1. Co to znaczy, że gwiazdy są „sformatowane"?
2. Dlaczego Cindy Crawford została „twarzą" firmy Arctic?
3. Co cenią konsumenci – urodę czy inteligencję?

● Gramatyka

8c Proszę dokończyć podane poniżej zdania według wzoru:

Monika Olejnik	Szymon Majewski	Adam Małysz	Joanna Brodzik	Ryszard Kapuściński
Jej rozmowy z politykami są zawsze bardzo ciekawe.	Jego programy rozrywkowe są bardzo popularne.	Ważny dla niego jest profesjonalizm i zdrowy styl życia.	Zdobyła wiele nagród telewizyjnych.	Jego książki czytają ludzie na całym świecie.

0. Monika Olejnik jest dziennikarką, *której rozmowy z politykami są zawsze bardzo ciekawe.*
1. Szymon Majewski jest prezenterem, ...
2. Joanna Brodzik jest aktorką, ...
3. Ryszard Kapuściński był pisarzem, ...
4. Adam Małysz jest sportowcem, ...

Wymowa

  9 Proszę powtórzyć za lektorem.

2

Praca

● **Gramatyka**

1 **Proszę zamienić zdania według wzoru:**

0. Lekarz leczy chorych. – *Lekarz to człowiek, który leczy chorych. Lekarze to ludzie, którzy leczą chorych.*

1. Malarz maluje obrazy. – ....

2. Pisarz pisze książki. – ....

3. Chemik przeprowadza eksperymenty. – ....

4. Komik bawi publiczność. – ....

5. Aktor gra w filmie. – ....

6. Klient robi zakupy. – ....

7. Policjant pilnuje porządku. – ....

8. Minister podejmuje decyzje. – ....

9. Inżynier projektuje drogi. – ....

10. Pediatra leczy dzieci. – ....

11. Poeta pisze wiersze. – ....

2 **Proszę zamienić na liczbę pojedynczą następujące zdania według podanego wzoru:**

0. Pisarze pracują w domu. – *Pisarz pracuje w domu.*

1. Nauczyciele mają dużo pracy, ale ich zarobki nie są wysokie. – ....

2. Biznesmeni często pracują na własny rachunek. – ....

3. Informatycy piszą programy dla firm. – ....

4. Fryzjerzy mają czasem własne salony. – ....

5. Taksówkarze mają kontakt z ludźmi. – ....

6. Inżynierowie często prowadzą własne firmy. – ....

3 **Proszę dobrać pasujące przymiotniki:**

√inteligentny   dobry
profesjonalny   drogi
pracowity   wymagający
ambitny   cierpliwy

0. *inteligentni* pisarze

1. .... inżynierowie

2. .... informatycy

3. .... taksówkarze

4. .... dyrektorzy

5. .... adwokaci

6. .... studenci

7. .... nauczyciele

● Słownictwo

4 **Proszę dodać zawody:**

1. Pracują w mediach: ..... *dziennikarze, prezenterzy, reporterzy, styliści* ....

2. Pracują naukowo: ....

3. Mają swój gabinet: ....

4. Prowadzą samochód: ....

5 **Do poniższych tekstów proszę wstawić odpowiednie słowo.**

a)

> √*pracować   zarabiać   zaczynać   kończyć   prowadzić   przygotować*

Od 2 lat ...... *pracuję* ...... jako asystentka prezesa dużej firmy komputerowej.
Bardzo lubię moją pracę, bo nie jest monotonna, ale mam naprawdę dużo
zajęć. .... o ósmej, ale tak naprawdę jestem w biurze już o 7.30,
żeby wypić kawę i .... korespondencję dla szefa. ....
też jego kalendarz spotkań. Wychodzę z biura przed 18.00, chociaż (teore-
tycznie) .... o 16.00. Jestem jednak zadowolona, bo
atmosfera w pracy jest bardzo miła, no i nieźle ....

b)

> *praca   rachunek   wynagrodzenie   etat   średnia   zaufanie*

Jestem lektorem języka angielskiego. Przez 5 lat miałem ....
w jednym z krakowskich liceów, ale nie byłem zadowolony. Dlaczego? To
proste, za mało zarabiałem. Teraz pracuję na własny .... i jestem
wreszcie niezależny. Prowadzę zajęcia w dwóch szkołach językowych
i w dużej firmie. Oczywiście, taka forma .... ma swoje
minusy, na przykład moje .... nie jest stałe – zależy od
klientów, ale i tak zarabiam powyżej .... krajowej. Ludzie,
z którymi pracuję, są fantastyczni: nie wpadli w rutynę, są kreatywni i kom-
petentni. Pomogli mi bardzo, kiedy odszedłem z liceum i teraz mamy do
siebie ....

c)

> *ciekawa   atrakcyjna   odpowiedzialna   monotonna   stresująca   męcząca*

Jestem modelką. Wszyscy myślą, że moja praca jest bardzo .... i .... finansowo.
Oczywiście, to prawda, ale nie zawsze. Moja praca jest przede wszystkim bardzo ...., bo mam
wiele konkurentek: młode, zdeterminowane dziewczyny, które właśnie zaczynają karierę. Jest też ....
Zdjęcia na planie trwają czasem bardzo długo, wracam późno do domu i jestem bardzo zmęczona. Zalety? Pewnie,
że są. Moja praca na pewno nie jest ...., dużo podróżuję, mam dużo przyjaciół za granicą, dobrze
zarabiam. Niektórzy mówią, że praca modelki nie jest ...., ale to nieprawda, moja niepunktualność
może kosztować firmę dużo pieniędzy.

6 **Proszę przeczytać tekst z ćwiczenia 2a z podręcznika, następnie wysłuchać czterech wypowiedzi i zdecydować, kim są wypowiadające się osoby i czy mają podobne opinie o pracy, co bohaterowie tekstu.**

Gramatyka

7 Proszę dopisać rzeczownik lub czasownik według wzoru:

rzeczownik	czasownik
0. *praca*	pracować
1.	kontaktować się
2. negocjacje	
3. odpowiedź	
4.	zarabiać
5.	spotkać
6. ustalenie	
7.	zaufać
8.	wynagradzać
9.	kończyć
10. początek	
11. przygotowanie	

CD 5

8 Proszę wysłuchać nagrania. Które wypowiedzi odnoszą się do poniższych grup? Proszę wpisać numer.

	studenci	lekarze	pisarze
1.	☐	☐	☐
2.	☐	☐	☐
3.	☐	☐	☐

Słownictwo

9 Proszę znaleźć w obu kolumnach wyrażenia o podobnym znaczeniu:

1) Przepraszam, czy mogę coś powiedzieć?
2) Sądzę, że...
3) To wszystko, co mam do powiedzenia.
4) Ale nie o tym mówimy.
5) Chcę dodać, że...
6) Ja też tak myślę.
7) Racja!

a) Myślę, że...
b) To nie jest tematem dyskusji.
c) Chcę coś powiedzieć.
d) Czas skończyć tę dyskusję.
e) Chcę jeszcze powiedzieć, że...
f) To prawda.
g) Mam takie samo zdanie.

10 Proszę dopasować tytuły prasowe do poszczególnych fragmentów:

☐ a) **Firma na balkonie**

☐ b) **Iwan za Jana, Jan za Hansa**

☐ c) **Plus minus bezrobotny**

4 d) **Dam pracę kreatywnemu entuzjaście**

☐ e) **Praca bez płacy**

1

Nawet niewielki kredyt może z bezrobotnego zrobić przedsiębiorcę. Wystarczy trochę wiedzy, umiejętności i nieco odwagi. Ta recepta sprawdza się w miastach, nawet tak ciężko dotkniętych bezrobociem jak Suwałki.

„Polityka" 2004, nr 4

2

Mamy ponad trzy miliony bezrobotnych. A może tylko półtora miliona? Wszystko zależy od tego, jak się ich liczy. I w jakim celu.

„Polityka" 2003, nr 47

3

Co dziesiąty Polak nie dostaje pensji w terminie. Tym samym kredytuje pracodawcę. Inspektorzy pracy mówią, że ten proceder gwałtownie się nasila. Jak długo ludzie zechcą pracować za darmo?

„Polityka" 2003, nr 12

4

Co poniedziałek „Gazeta Wyborcza" publikuje obszerny, około pięćdziesięciostronicowy dodatek „Praca", adresowany do pracodawców i pracobiorców: wielkich, średnich i małych. Przyjrzeliśmy się kilku numerom tegorocznej „Pracy" w wydaniu stołecznym. Zwracaliśmy uwagę na styl anonsów – wymagania stawiane kandydatom oraz cechy języka, jaki obowiązuje w tego rodzaju społecznej komunikacji.

„Polityka" 2003, nr 40

5

W trójkącie Ukraina – Polska – Niemcy różnych ludzi spotykają bliźniaczo podobne losy. To, czego Polacy szukają w Niemczech, tego Ukraińcy szukają w Polsce. Tak jak Igor wozi czarnoroboczych na trasie Drohobycz–Warszawa, tak Roman na trasie Szczecin–Berlin. Trójkąt cementują marzenia o lepszym życiu.

„Polityka" 2004, nr 3

lekcja 3

To już historia...

● Gramatyka

1 Proszę napisać podane w nawiasach czasowniki w czasie przeszłym:

...*Urodziłem się*.. (urodzić się) w 1978 roku w Krakowie. .... (my – mieszkać) z rodzicami w Nowej Hucie, bo mój ojciec, który .... (pochodzić) z Racławic, ... (dostać) w latach 70. pracę w kombinacie. Moja mama .... (przyjechać) do Krakowa z Nowego Targu. W 1968 roku też .... (zacząć) pracować jako urzędniczka w Hucie imienia Lenina. Tam .... (poznać) mojego ojca. .... (pobrać) się dwa lata później. Mam dwie starsze siostry bliźniaczki.

Ja .... (chodzić) do szkoły sportowej, moje siostry .... (skończyć) liceum ogólnokształcące, a potem razem .... (zdawać) na studia – na politechnikę. Nie .... (dostać) się tam i w rezultacie .... (pójść) na matematykę na krakowskiej Akademii Pedagogicznej. Jeszcze na studiach obie .... (wyjść) za mąż. Potem jedna z nich .... (zostać) nauczycielką w szkole podstawowej, a druga .... (urodzić) dziecko i nie pracuje.

Kiedy .... (chodzić) do szkoły sportowej, miałem dużo zajęć. Codziennie .... (trenować): rano .... (biegać), a wieczorem .... (ćwiczyć) na siłowni. Razem z klasą .... (wyjeżdżać) na obozy kondycyjne w góry, a czasem za granicę. Po szkole .... (dostać się) na AWF (Akademię Wychowania Fizycznego), jednak nie .... (skończyć) studiów. Nie .... (mieć) zamiaru być ani nauczycielem, ani trenerem; .... (chcieć) zarabiać pieniądze. Zacząłem pracować jako ochroniarz w nocnych klubach, a dwa lata temu, razem z kolegami .... (założyć) Agencję Ochrony.

2 Proszę opowiedzieć historie Edyty i Wojtka według wzoru:

a) Jest to historia Edyty:

.*Kiedy Edyta zaczynała studia, nie miała pieniędzy.* *Postanowiła zacząć pracować.*........................

....

....

....

....

Opis sytuacji   **Fakty**
Zaczynać studia.
Nie mieć pieniędzy. ⟶ Postanowić zacząć pracować.
Pytać kolegów.
Codziennie kupować ⟶ Pewnego dnia kupić „Moją Pracę".
  gazety.   Zobaczyć ciekawą ofertę.
                     Zadzwonić.
                     Dostać pracę.

b) Jest to historia Wojtka:

Kiedyś Wojtek miał piękne mieszkanie na peryferiach, ale nie spotykał się często z kolegami, bo mieszkał za daleko.

....

....

....

....

....

Opis sytuacji   **Fakty**
Mieć piękne mieszkanie.
Nie spotykać się często z kolegami.
Mieszkać za daleko. ⟶ Postanowić przeprowadzić się do centrum.
                     Kupić piękne mieszkanie na Franciszkańskiej.
Zapraszać wielu przyjaciół. ⟵ Zacząć żyć inaczej.
                     Poznać przyszłą żonę na imprezie w swoim domu.

Wyrażenia czasowe używane z aspektem niedokonanym	Wyrażenia czasowe używane z aspektem dokonanym
zawsze / zwykle / nigdy często / rzadko długo raz: dziennie, na tydzień, na miesiąc na rok codziennie co: godzinę, dzień, tydzień, miesiąc, rok, dwa lata,.. kiedy... kiedyś, dawniej od... do... między... a... jeszcze w czasie, podczas	nagle, w pewnej chwili, w pewnym momencie raz wreszcie, w końcu pewnego: razu, dnia nigdy kiedy kiedyś

3 Proszę wybrać właściwe wyrażenie czasowe:

0. <u>Codziennie</u> / tego dnia spotykał się z kolegami.

1. Raz dziennie / w końcu napisał list.

2. Co tydzień / w tym tygodniu zapraszał wielu przyjaciół.

3. Co miesiąc / nagle wyjeżdżał.

4. Często / w pewnym momencie wyszedł z domu.

5. Długo / nagle spał.

6. Od poniedziałku do piątku / w końcu czekał na jej telefon.

7. Zwykle / pewnego razu zdecydował się wrócić.

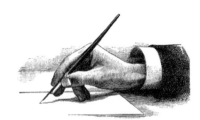

4 Proszę uzupełnić historie podanymi w nawiasach czasownikami w *czasie przeszłym*.

a)

....*Urodziłam się*.. (urodzić się) w 1972 roku, w małym miasteczku koło Kielc. Moi rodzice pracowali przez cały dzień, a mnie .... (wychowywać) babcia. To były piękne czasy: .... (chodzić) z babcią na spacery do lasu, babcia .... (opowiadać) mi bajki, a ja .... (słuchać) tych historii z dużym zainteresowaniem. Babcia .... (przyjeżdżać) do nas zawsze jesienią, mieszkała z nami całą zimę, a .... (wyjeżdżać) dopiero po Wielkanocy, w kwietniu. Kiedy miałam 7 lat, ... (zacząć) chodzić do szkoły i babcia już u nas nie .... (bywać). Kiedy miałam 18 lat .... (wyjechać) na studia do Krakowa. Rok później .... (umrzeć) moja babcia. To był koniec pewnej epoki w moim życiu.

b)

To był okropny ranek. ....*Obudziłem się*.... (obudzić się) dopiero o 8.00, a o 9.00 .... (mieć) zaplanowane ważne spotkanie. .... (wziąć) taksówkę, ale był straszny korek i .... (jechać) do pracy prawie pół godziny. Oczywiście .... (spóźnić się). .... (wejść) do biura zdenerwowany, ludzie z którymi .... (mieć) się spotkać już czekali, a ja nie .... (móc) znaleźć ważnych dokumentów. .... (przeprosić) moich gości i .... (opowiedzieć) im jakąś fantastyczną historię o tramwaju, który zablokował ulicę. Uff... Chyba .... (uwierzyć), że mówię prawdę. Potem atmosfera na spotkaniu .... (być) już sympatyczna i goście .... (wyjść) z mojego biura zadowoleni.

5 **Proszę wstawić czasownik w odpowiedniej formie:**

1. jechać / pojechać

   a) ...*Jechałem*..... do pracy prawie godzinę.

   b) Wczoraj .... z moim synem na basen.

2. przeprowadzać się / przeprowadzić się

   a) W czasie studiów .... (ja) 7 razy.

   b) W lipcu .... do nowego mieszkania.

3. otwierać / otworzyć

   a) Pan Tadeusz .... swój sklep codziennie o 7.00.

   b) Czekałam 15 minut, bo pan Tadeusz się spóźnił. Wreszcie, o 7.15 .... swój sklep.

4. przychodzić / przyjść

   a) Czy Adaś już ....?

   b) Mój uczeń .... do mnie na lekcje dwa razy w tygodniu.

5. przyjeżdżać / przyjechać

   a) Czy pociąg z Wiednia już ....?

   b) Wiem, że w tamtym roku pociąg z Wiednia .... dwa razy dziennie.

6. rozumieć / zrozumieć

   a) Długo nie ...., dlaczego Magda ani nie pisze, ani nie dzwoni.

   b) W końcu ...., że Magda nie chce mieć ze mną żadnego kontaktu.

6 **Proszę wysłuchać nagrania i zaznaczyć, czy słyszymy czasowniki w aspekcie dokonanym czy niedokonanym:**

	aspekt dokonany	aspekt niedokonany
a	X	☐
b	☐	☐
c	☐	☐
d	☐	☐
e	☐	☐
f	☐	☐

CD 6

7 **Proszę napisać słowami następujące daty lub nazwy miesięcy:**

a) Urodził się...

   02.03.1986 ....*drugiego marca tysiąc dziewięćset osiemdziesiątego szóstego*....

   09.09.1967 ....

   03.04.1993 ....

   23.07.1894 ....

   22.11.1783 ....

b) Studiowała od... do...

   tysiąc dziewięćset osiemdziesiątego szóstego ... 1986 – 1999 *tysiąc dziewięćset dziewięćdziesiątego dziewiątego*

   .... 1987 – 1993 ....

   .... 1988 – 1994 ....

   .... 1978 – 1981 ....

   .... 2001 – 2005 ....

c) Spotkali się w...

   VII ......*lipcu*........................   III ....   VI ....

   IV ....   XII ....

lekcja **3**

8 Proszę przeczytać tekst *18 + 15*, a następnie uzupełnić poniższą tabelę:

18 +15

Jak spełniły się marzenia pierwszych maturzystów III Rzeczypospolitej?

Rocznik 1971 – pokolenie, które wchodziło w dorosłość, gdy zaczynała się nowa Polska. Swój egzamin dojrzałości, jako pierwsi, zdawali już w III RP. Dostali nowe szanse i nowe wyzwania. Jak dziś wspominają rok 1989 – rok swoich 18 urodzin, Okrągłego Stołu i wyborów kontraktowych? Jakie mieli marzenia i nadzieje? Czy się spełniły dzisiejszym 33-latkom?

Rok pogo

Dla Agaty Pietrzyk-Stelmach 1989 rok to był ostatni moment, żeby się wyszaleć. Koncerty w katowickim Spodku, pogo pod sceną, mnóstwo wina. Nosiła wtedy spódnicę nabijaną ćwiekami, a włosy stawiała na cukier z jajkiem. Generalnie przypominała nieco Roberta Smitha, wokalistę The Cure. Był to więc czas kontestacji, ale jednocześnie pierwszych kompromisów. Jej liceum w Sosnowcu było konserwatywne i za fryzurę można było wylecieć ze szkoły.

– Wiedziałam, że jak przegnę i mnie wyrzucą, to wyląduję na poczcie – wspomina. – Byłoby żal, bo przecież właśnie otwierał się świat. Pamiętam to poczucie, że wszystko jest możliwe, że czego się człowiek nie dotknie, to się stanie. Fantastyczne osiemnastoletnie poczucie wszystkomożenia.
I rzeczywiście wszystko się działo. Bez trudu zdana matura, pierwszy wyjazd na Zachód, na truskawki do Holandii, nurkowanie na Sardynii za zarobione pieniądze, indeks Akademii Medycznej we Wrocławiu.

– Wybrałam Wrocław, bo fascynowała mnie Pomarańczowa Alternatywa. Chciałam w tym uczestniczyć. A tu okazało się, że Pomarańczowa Alternatywa jest, przynajmniej chwilowo, niepotrzebna – opowiada.

Uczyła się lekko i bez obciążeń, sześć lat studiów to była sama przyjemność. Miała sukcesy: stypendium w Belgii, stypendium ministra zdrowia. Nadal wszystko wydawało się możliwe. Dlatego zdziwiło ją, gdy podczas uroczystości wręczania nagrody usłyszała w kuluarach komentarz jednego z profesorów: biedna dziewczyna, nie wie jeszcze, że to nic nie znaczy. Chciała robić doktorat, ale w Warszawie, bo tam się zakochała. Konkurs na studia doktoranckie oczywiście wygrała, ale w przeddzień podjęcia pracy w wybranym instytucie okazało się, że miejsce zajął czyjś krewny, który w konkursie nawet nie brał udziału. W tym samym czasie skończyła się warszawska miłość. Zawalił się świat. Trzeba było zaczynać od nowa.

Znalazła pracę przy badaniach sponsorowanych przez międzynarodowe koncerny farmaceutyczne. Dziś ma silną pozycję w branży. Jest kierownikiem do spraw badań w dużej amerykańskiej firmie. Dziecko urodziła niemal w biegu, w piątek kończyła ważne badania, a w niedzielę był poród. Synek ma 3,5 roku.

– Gdybym spojrzała na siebie dziś oczami tamtej 18-latki, to bym w to wszystko nie uwierzyła – mówi. – Wychowałam się na 46 metrach, a dziś mam mieszkanie w Konstancinie i działkę budowlaną pod Warszawą. Co roku nurkuję w Egipcie albo Kenii. Nie uwierzyłabym też, że nie jestem lekarzem. Ciągle uważam, że to najbardziej fascynujący zawód świata i mi go żal.

„Polityka" 2004, nr 23

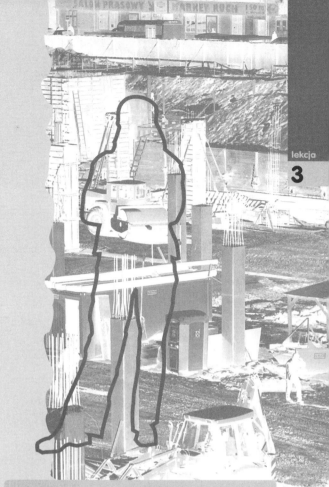

	Życie szkolne i zawodowe	Życie prywatne
1989		– chodziła na koncerty, interesowała się muzyką The Cure
1990 – 1995	– studiowała na Akademii Medycznej we Wrocławiu – dostała stypendium w Belgii	
po roku 1995		

 9 Proszę przeczytać tekst z ćwiczenia 2a z podręcznika, a następnie wysłuchać nagrania. Oba teksty różni 5 szczegółów. Proszę je odnaleźć.

lekcja

4

Plany na przyszłość

1 **Proszę napisać podane w nawiasach czasowniki w czasie przyszłym:**

1. Kiedy ....*będzie*.... (on – być) prawnikiem, ... (on – pracować) w dużej kancelarii.

2. Kiedy .... (ona – być) absolwentką tej szkoły, ... (ona – szukać) pracy na pół etatu.

3. Po wakacjach .... (ja – studiować) w Szkole Biznesu.

4. Na zajęciach .... (my – pracować) z komputerami.

5. Co .... (ty – robić) w przyszłości?

6. To nie on .... (szukać) pracy, to praca .... (szukać) jego.

2 **Proszę wybrać odpowiednią formę aspektową czasownika, a następnie utworzyć czas przyszły.**

a) Jestem uczennicą 3 klasy liceum ogólnokształcącego. W przyszłym roku ....*zdam*...... (zdawać / zdać) maturę i .... (iść / pójść) na studia. Mam nadzieję, że .... (dostawać się / dostać się) na medycynę. .... (studiować) 6 lat, potem .... (robić / zrobić) specjalizację i .... (móc) pracować jako lekarka. Chciałabym być chirurgiem!

b) Za rok .... (kończyć / skończyć) studia na Akademii Ekonomicznej. .... (zdawać / zdać) egzamin magisterski i kiedy .... (dostawać / dostać) dyplom, ... (wyjeżdżać / wyjechać) na rok do Nowego Jorku. .... (pracować) w biurze maklerskim. Dlaczego? To proste! .... (uczyć się/ nauczyć się) dobrze języka, ... (zdobywać / zdobyć) doświadczenie i kiedy .... (wracać / wrócić) do Polski, ... (mieć) większe szanse na rynku pracy.

c) Studiuję teraz romanistykę w Krakowie, ale po wakacjach .... (wyjeżdżać / wyjechać) na pół roku do Francji. .... (studiować) w Paryżu. .... (zajmować się / zająć się) tłumaczeniem i mam nadzieję, że .... (poznawać / poznać) dobrze współczesną literaturę francuskojęzyczną. Mam nadzieję, że w przyszłości .... (tłumaczyć / przetłumaczyć) książki, ale .... (móc) też być tłumaczem symultanicznym. Mam nadzieję, że na studiach w Paryżu .... (spotykać / spotkać) wielu wspaniałych ludzi.

3 Proszę utworzyć czas przyszły wybranego czasownika.

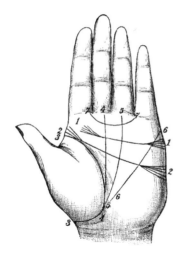

Byłam z wizytą u wróżki. Oto co mi powiedziała:

Za miesiąc ......*spotka*....... (spotykać / spotkać) pani wspaniałego mężczyznę. .... (poznawać się / poznać się) na uniwersytecie. .... (wyjeżdżać / wyjechać) razem na wakacje i po tygodniu .... (pobierać się / pobrać się). .... (być) razem bardzo szczęśliwi, ale pani nie .... (kończyć / skończyć) studiów. Za rok .... (rodzić / urodzić) pani dziecko. Nie .... pani .... (pracować), ale pani mąż .... (zarabiać / zarobić) dużo pieniędzy.

lekcja

4

Następnego dnia mój chłopak też poszedł do wróżki. Nie powiedział, że jest moim partnerem. Oto, co mu powiedziała:

Pana partnerka jest miłą osobą, ale już niedługo .... (być) razem. Za miesiąc ona .... (poznawać / poznać) innego mężczyznę i .... (wychodzić / wyjść) za niego za mąż. .... (być) pan bardzo sfrustrowany i .... (wyjeżdżać / wyjechać) pan za granicę. Tam .... (dostawać / dostać) pan wspaniałą ofertę pracy. .... (robić / zrobić) pan wielką karierę. Przez kilka lat .... się pan (spotykać / spotkać) z wieloma kobietami, i dopiero kiedy .... (kończyć / skończyć) pan 30 lat, ... (żenić się / ożenić się) pan z piękną aktorką filmową. .... (być) małżeństwem tylko kilka lat, potem .... (wracać / wrócić) pan do Polski i tu .... (spotykać / spotkać) pan miłość swojego życia.

I co wy na to?

4 Proszę ułożyć zdania według wzoru:

0. ja – dostać urlop / pojechać na wakacje → Jeśli ......*dostanę urlop, to pojadę na wakacje*........................

1. ty – zdać maturę / pójść na studia → Jeśli ....

2. my – dostać staż / wyjechać do Niemiec → Jeśli ....

3. on – mieć pieniądze / pojechać do Afryki → Jeśli ....

4. one – skończyć medycynę / pracować w szpitalu → Jeśli ....

5. wy – wyjechać na studia do Warszawy / musieć znaleźć tam mieszkanie
   → Jeśli ....

6. ona – zapisać się na kurs komputerowy / zaprojektować swoją stronę internetową
   → Jeśli ....

7. oni – zdać egzamin magisterski / dostać dyplom → Jeśli ....

8. ja – nie znaleźć pracy / pracować na własny rachunek → Jeśli ....

17

● Słownictwo

5 **Proszę uzupełnić poniższe zdania odpowiednim wyrażeniem:**

> *wykształcenie wyższe   dyplom   wykształcenie średnie   wykształcenie podstawowe ✓dyplom   świadectwo   licencjat*

0. Jeśli skończysz kurs języka polskiego, dostaniesz ....*dyplom*..... .

1. Jeśli twoje dziecko skończy szkołę podstawową, będzie miało ....

2. Jeśli Ania zda maturę, dostanie .... maturalne.

3. Jeśli skończycie studia, będziecie mieli ....

4. Jeśli Antek zda egzamin magisterski, dostanie .... ukończenia studiów wyższych.

5. Jeśli oni skończą liceum, będą mieli ....

6. Jeśli skończysz trzyletnie studia zawodowe, będziesz miała ....

6 **Proszę uzupełnić poniższe teksty wyrażeniem w odpowiedniej formie:**

> *martwić się   obawiać się   bać się   być pesymistą / pesymistką   woleć nie myśleć   mieć nadzieję ✓być optymistą*

a) Kiedy zaczynałem studiować romanistykę, ...*byłem optymistą*.. . Interesowałem się literaturą francuską i ....
................, że bez problemu znajdę pracę jako tłumacz albo nauczyciel. Niestety, teraz wiem, że nie jest to takie proste.
...................................., że będę musiał zmienić swoje plany zawodowe i nauczyć się angielskiego. Teraz wszyscy chcą
mówić tylko po angielsku!

b) .... o moją córkę. Ona studiuje filozofię i uważa, że bez problemu znajdzie pracę. ....
co będzie, kiedy skończy studia! Niestety, w tej kwestii ....!

c) Mój syn jest informatykiem, nie .... o jego przyszłość!

● Gramatyka

7 **Proszę wstawić odpowiedni spójnik albo zaimek:**

> *że   co   czy*

0. Martwię się, ..*że*.... moja córka będzie długo szukać pracy.

1. Boję się, ... mój syn nie znajdzie pracy.

2. Martwię się, ... będzie, kiedy moja córka skończy studia.

3. Obawiam się, ... nie zdam tego egzaminu.

4. Martwię się, ... w przyszłości znajdę dobrą pracę.

5. Martwię się, ... moja córka nie znajdzie dobrej pracy.

6. Wolę nie myśleć, ... będzie, jeśli nie zdam egzaminu.

7. Obawiam się, ... twoje plany są nierealne.

8. Obawiam się, ... mój syn za dużo się uczy.

9. Boję się, ... nie dostanę stypendium w Poznaniu.

10. Martwię się, ... zrobi Ewa, jeśli nie zda tego egzaminu.

11. Martwię się, ... ten staż we Francji to naprawdę dobry pomysł.

8 **Proszę wysłuchać nagrania, a następnie zaznaczyć, czy w podanych wypowiedziach słyszymy obawę czy nadzieję:**

CD 8

	obawa	nadzieja
a	X	
b		
c		
d		
e		
f		

Odyseja polska 2023, „Polityka" 2003, nr 33

9 Proszę przeczytać fragmenty artykułu *Odyseja polska 2023* i uzupełnić tabelę pod tekstem według podanego wzoru:

Jaka zatem będzie Polska za 20 lat?

Może być tak. Dzisiejsi 50-latkowie: całkiem zamożni rentierzy funduszy emerytalnych, część spośród nich jeszcze pracuje, większość to aktywni życiowo konsumenci nowej popkulturowej oferty dla seniorów, utrzymujący świetny kontakt z wnukami.

Dzisiejsi 20-latkowie: jakoś przetrwali kryzys na rynku pracy. Niepodatni na manipulacje populistów i odporni na frustrację, wyłonili nowe światłe i wykształcone elity polityczne i gospodarcze, które wypracowały nową, tym razem niepapierową strategię dla Polski. Konsumują owoce swojego wykształcenia, są bogatym proletariatem (…). W liberalnej kulturze równouprawnienia mężczyzn i kobiet wychowują swoich jedynaków.

Dzieci, które urodzą się za 10 – 20 lat: dopieszczone przez zastęp coraz dłużej żyjących dziadków i pradziadków, zdrowe i mądre dzięki fantastycznej edukacji.

Ale może też być tak. Emeryci: schorowane ofiary katastrofy systemu emerytalnego (…); pozbawieni wsparcia społecznego i prywatnego. Bo ich dorosłe już dzieci (dziś 20-latkowie) to generacja sfrustrowanych bezrobociem buntowników, która wyszła na ulice w 2008 r., nic specjalnego nie osiągając poza legendą kolejnych nieprzystosowanych kontestatorów. I samotne dzieci, wychowujące się w zatomizowanych rodzinach. Zastygły system kastowy, który nie daje szans źle urodzonym. Społeczeństwo szarpane kulturową schizofrenią, podzielone na wielkomiejskich liberalnych „Szwedów" i tradycjonalistycznych „Hindusów".

	wizja optymistyczna	wizja pesymistyczna
dzisiejsi 50-latkowie	*Będą rentierami funduszy emerytalnych. Część z nich będzie jeszcze pracować…*	
dzisiejsi 20-latkowie		*Będą generacją sfrustrowanych bezrobociem buntowników…*
dzieci, które urodzą się za 10 – 20 lat		

10 Proszę wysłuchać wypowiedzi sześciu osób i uzupełnić tekst brakującymi wyrazami:

Młodzi i ich przyszłość

Piotr, absolwent informatyki:

W tym roku .... informatykę. Praca dla informatyków będzie zawsze.

Jan:

Mój syn nigdy nie lubił w szkole .... ścisłych. Zawsze interesował się historią, poezją, językami. Kiedy powiedział mi, co będzie robić w przyszłości, nie protestowałem. Teraz trochę ...., że będzie miał problemy na rynku pracy.

Marek, absolwent psychologii:

Kiedy pięć lat temu przyszedłem do mojego instytutu, byłem .... Dzisiaj wiem, że nie jest tak łatwo. Na pewno będę długo szukać pracy. Moi .... mówią, że 6 – 8 miesięcy to minimum.

Maria:

Moja córka zawsze była bardzo zdolna. Miała dobre ...., wiedziałam, że będzie chciała studiować. Zawsze mówiłam, że medycyna to prestiż i uznanie. Ewa skończyła medycynę, dzisiaj ma trochę problemów z pracą, ale mam ...., że ta sytuacja jest chwilowa.

Ewa, absolwentka medycyny:

Moja mama zawsze chciała mieć córkę lekarkę. Moje studia to realizacja jej ambicji. Ja bardzo .... egzaminów, ale kiedy zdałam, byłam szczęśliwa. Dzisiaj próbuję dostać staż w szpitalu, ale jest to bardzo trudne. Boję się, że to .... moich problemów.

Helena:

Mój syn zawsze mówił mi, że komputery to .... Chyba miał rację. Dzisiaj wszyscy pracują na komputerze, niedługo chyba dzieci w szkołach nie będą pisać długopisem. .... o to, co mój syn będzie robić. Na pewno praca będzie czekać na niego.

1 **Proszę przeczytać list motywacyjny i odpowiedzieć na pytania.**

Kraków, 21.06.200...

Szanowni Państwo,

Państwa oferta, którą znalazłem w Internecie, bardzo mnie zainteresowała. Jestem młodym człowiekiem, ale byłem już zatrudniony w charakterze asystenta dyrektora galerii, mam więc doświadczenie w pracy biurowej. Znam wiele programów komputerowych, projektuję strony internetowe, interesuję się też grafiką. Jestem osobą dynamiczną i kreatywną, otwartą w kontaktach z innymi ludźmi. Bardzo dobrze znam angielski, koresponduję w tym języku przez Internet z kolegami w Europie i USA. Uważam, że praca w agencji reklamowej jest bardzo interesująca, można tu poznać ciekawych ludzi i dużo się nauczyć.

Myślę, że spełniam Państwa wymagania i z niecierpliwością czekam na odpowiedź na mój list.

Z poważaniem,

Robert Wille

1. Gdzie Robert znalazł powyższą ofertę pracy?
2. Czy Robert ma doświadczenie w pracy na podobnym stanowisku?
3. Jakie kwalifikacje ma Robert?
4. Jakim człowiekiem jest Robert?
5. Czy Robert zna angielski? W jakich sytuacjach mówi w tym języku?
6. Dlaczego Robert zdecydował się odpowiedzieć na tę ofertę pracy?

 2a **Proszę ułożyć 2 listy motywacyjne z podanych zdań:**

1. przeczytałam Państwa ofertę pracy w „Gazecie Krakowskiej"

2. moi przyjaciele uważają, że jestem ładna i mam miłą prezencję

3. pracowałam już jako modelka, prezentowałam nowe modele samochodów na targach motoryzacyjnych

4. mam 26 lat i jestem absolwentką anglistyki na Uniwersytecie Jagiellońskim

5. lubię kontakt z ludźmi

6. od dwóch lat pracuję w szkole podstawowej i uczę języka angielskiego, jednak moja praca nie daje mi satysfakcji

7. myślę, że jestem idealną kandydatką, dlatego proszę o szybką odpowiedź

8. bardzo chciałabym pracować w Państwa firmie, ponieważ zawsze chciałam być tłumaczem

9. państwa ofertę pracy znalazłam w lokalnej gazecie. Mam 20 lat, skończyłam liceum ogólnokształcące i aktualnie nie pracuję

10. mam nadzieję, że spełniam Państwa wymagania i bardzo proszę o odpowiedź na mój list

11. jestem wysoką, zgrabną blondynką

12. w czasie studiów pomagałam moim przyjaciołom pisać listy po angielsku, tłumaczyłam też teksty literackie i dokumenty

13. jestem osobą spokojną i pedantyczną

14. jestem otwarta, towarzyska i wesoła

Szanowni Państwo,	Szanowni Państwo,
☐	9
☐	☐
12	☐
☐	☐
☐	☐
☐	☐
☐	☐
Z poważaniem, Anna Stokłosa	Z poważaniem, Marta Szumilewicz

 2b **Jak Pan / Pani myśli, na jakie oferty pracy odpowiedziały Anna i Marta?**

1. sekretarka

2. nauczycielka języka angielskiego w szkole językowej

3. hostessa

4. stewardesa

5. tłumacz w biurze tłumaczeń

6. asystentka prezesa dużej firmy amerykańskiej

Wymowa

  3 **Proszę powtórzyć za lektorem.**

lekcja

6

Miasto

Słownictwo

1 Proszę wpisać poniższe nazwy do odpowiedniej kolumny:

przejście dla pieszych kościół ambasada parking poczta ✓bank kwiaciarnia przedszkole muzeum
konsulat kiosk przystanek tramwajowy przystanek autobusowy komisariat pub supermarket
szpital kawiarnia firma rondo fryzjer apteka sklep przychodnia lekarska skrzyżowanie
uniwersytet lotnisko warsztat basen park informacja biuro most szkoła stadion księgarnia
dentysta światła dworzec urząd miasta centrum handlowe kino hotel teatr

instytucje i urzędy	sklepy i usługi	obiekty rekreacyjne	transport i ruch drogowy
bank,			

2 Proszę dokończyć zdania:

1. Miejsca, w których się uczę, to *szkoła,*.. .
2. Miejsca, w których spędzam wolny czas, to ....
3. Miejsca, w których załatwiam różne sprawy, to ....
4. Miejsca, w których robię zakupy, to ....
5. Miejsca, w których rezerwuję bilet, to ....
6. Miejsca, w których odpoczywam, to ....

3 Gdzie oni pracują?

0. Ludzie przychodzą tutaj, żeby coś zjeść. Jestem kucharzem, pracuję w *restauracji*.................................. .
1. Ludzie przychodzą tutaj, kiedy mają grypę. Pracuję w ....
2. Ludzie kupują tutaj znaczki i wysyłają listy. Jestem urzędniczką, pracuję na ....
3. Jestem nauczycielem geografii. Pracuję w ....
4. Ludzie przychodzą tutaj, żeby naprawić zepsuty samochód. Pracuję w ....
5. Rozmawiam przez telefon, organizuję pracę innym. Jestem sekretarką, pracuję w ....
6. Zajmuję się biznesem, pracuję w ....
7. Pomagam ludziom wyrobić paszport. Zajmuję się też cudzoziemcami. Pracuję w ....
8. Ludzie przychodzą tutaj posłuchać muzyki i napić się piwa. Pracuję w ....

4 Proszę przekształcić zdania według wzoru:

0. W tym sklepie są drogie rzeczy. ..*W tym sklepie jest drogo.*..
1. W tym domu są ładne meble. ....
2. W tym mieście są brzydkie domy. ....
3. W tym klubie są ciekawe imprezy. ....
4. W tej szkole są nudne lekcje. ....
5. W Krakowie są sympatyczni ludzie. ....

ale:

6. W tym mieście są duże supermarkety. ..*W tym mieście jest dużo supermarketów*..
7. Na ulicy są małe samochody. ..*Na ulicy jest*..
8. W tym mieście są duże teatry. ....
9. W przedszkolu są małe dzieci. ....
10. Na uniwersytecie są duże sale. ....
11. W Krakowie są duże parkingi. ....

5 Proszę porównać następujące elementy, używając przymiotników w stopniu wyższym:

0. Ten blok ma już 20 lat. Tamten jest nowy, ma tylko 5 lat.
   Ten blok jest ......*starszy*...... niż tamten.
1. Ta kamienica pochodzi z XX wieku. Tamta z XV!
   Ta kamienica jest .... (nowy) niż tamta.
2. Krajobraz tego miasta to fabryki i kominy. A w tamtym jest piękny rynek, a dookoła góry.
   To miasto jest .... (brzydki) niż tamto.
3. To jest typowy kościół gotycki. A tamten? Chyba romański.
   Kościół romański jest .... (stary) niż gotycki.
4. Ten biurowiec jest tu od roku. A tamten stoi już pięć lat.
   Ten biurowiec jest .... (nowy) niż tamten.

6 Proszę porównać, używając przymiotników w stopniu wyższym:

0. Rynek krakowski jest .*ładniejszy*..... (ładny) niż ten w Brukseli. Prawda?
1. Klimat w naszym kraju jest .... (łagodny) niż klimat w Rosji.
2. Życie w dużym mieście nie jest .... (łatwy) niż życie na prowincji.
3. Zima w Barcelonie jest .... (ciepły) niż zima w Warszawie.

7 Proszę porównać następujące elementy, używając podanych niżej przymiotników w stopniu wyższym:

0. Kościół Świętego Wojciecha jest .....*starszy*........ niż kościół Mariacki.
1. Prezydent miasta jest .... niż wiceprezydent.
2. Atmosfera tutaj jest .... niż w tamtej kawiarni.
3. Pałac Radziwiłłów jest .... niż dom dyrektora fabryki.
4. Aleja Waszyngtona jest .... niż Aleja Wolności.

> *miły długi niski stary*

8 **Proszę wpisać podane w nawiasach przymiotniki w stopniu wyższym:**

0. Nasz dom jest ......*niższy*........ (niski) niż dom sąsiadów.
1. Architektura tego miasta jest .... (brzydka), niż myślałam.
2. Biurowiec jest .... (wysoki) niż zamek.
3. Życie tu jest .... (szybki), niż sądziłem.
4. Ten krajobraz wydaje się .... (daleki) niż w rzeczywistości.

9 **Proszę uzupełnić tabelę z odmianą rzeczowników *miasto* i *kościół*. Proszę wstawić rzeczowniki w odpowiedniej formie:**

> miastem   miastach   miasta   miast   miasto   mieście   miastami
> kościołach   kościół   kościele   kościołami   kościoły   kościoła   kościołom

	liczba pojedyncza		liczba mnoga	
mianownik			miasta	
dopełniacz				kościołów
celownik	miastu	kościołowi	miastom	
biernik	miasto	kościół	miasta	kościoły
narzędnik		kościołem		
miejscownik				

10 **Proszę wstawić rzeczownik *miasto* w odpowiedniej formie:**

0. Mieszkam w dużym ......*mieście*............. .
1. Kraków jest pięknym ....
2. Marek był w Rzymie i opowiadał mi o tym słynnym ....
3. Radom? Nigdy nie byłam w tym ....
4. Ewa wyjechała do innego ....
5. Andrzej Wajda i jego żona Krystyna Zachwatowicz ufundowali .... Kraków Centrum Sztuki Japońskiej „Manggha".
6. Ludzie, którzy mieszkają w dużych ...., często chorują.
7. Nie znam ...., które leżą na północy Polski.
8. W dużych .... żyje się szybko.
9. Warszawa i Poznań są największymi .... Polski.
10. Kalisz i Gdańsk to piękne ....
11. Ekolodzy protestują przeciw zanieczyszczonym ....

11 Proszę wstawić rzeczownik *kościół* w odpowiedniej formie.

0. Wszyscy turyści zwiedzają ...*kościół*..... Mariacki.

1. Kościół Świętego Wojciecha jest najstarszym .... w Krakowie.

2. Chodzę do tego .... w każdą niedzielę.

3. Znam ten ....

4. Sanktuarium w Łagiewnikach? Tak, mój kolega opowiadał mi o tym
....

5. Przyglądałem się długo temu .... i muszę powiedzieć, że jest piękny.

6. W tych .... jest zawsze dużo ludzi na mszy.

7. Kolega mówił mi, że w Krakowie jest dużo ....

8. Kościół Mariacki i kościół na Skałce są najpiękniejszymi .... w Krakowie.

9. Lubię gotyckie ....

12 Proszę przekształcić zdania według wzoru:

0. Kraków jest ładny.   W Krakowie jest ładnie.

1. spokojny   ....

2. bogaty   ....

3. cichy   ....

4. drogi   ....

5. miły   ....

13 Proszę opisać swoje miasto w podobny sposób.

Nowy Jork jest... / W Nowym Jorku jest...

....

....

....

....

....

....

14 Proszę wysłuchać nagrania i zaznaczyć, w której wypowiedzi mówi się o podobieństwie, a w której o różnicy:

CD 11

	a	b	c	d	e
podobieństwo	X				
różnica					

Ucieczka z miasta

Jeszcze nigdy ceny mieszkań nie były tak wysokie, a ceny działek za miastem tak niskie. Czas na przeprowadzkę.

Socjolog Robert E. Park pisał niegdyś, że „współczesna metropolia jest produktem natury ludzkiej". Problem w tym, że ta natura nie jest doskonała, więc życie we współczesnej metropolii staje się coraz bardziej uciążliwe. Z badań agencji badawczej ASM z Kutna wynika, że ponad 60 procent z nas marzy o własnym domu z ogrodem poza miastem. Mamy dobrą wiadomość: oto nadszedł dogodny moment, by zrealizować marzenia. Ceny mieszkań w miastach w ciągu ostatniego roku wystrzeliły, jak twierdzi Michał Kosyrz z internetowego serwisu nieruchomości www.tabelaofert.pl, w Warszawie zwiększyły się nawet o kilkanaście procent. Jednocześnie ceny ziemi praktycznie stoją w miejscu.

Dziś trzypokojowe mieszkanie w przeciętnej lokalizacji w stolicy czy Krakowie to wydatek rzędu 200–300 tys. zł. Za tę samą cenę można zbudować na obrzeżach miasta stumetrowy, drewniany dom. Ale dobry czas na przeprowadzki nie będzie trwał wiecznie. Wraz z rosnącym popytem wkrótce zaczną rosnąć także ceny ziemi na obrzeżach wielkich aglomeracji. – W atrakcyjnych miejscach już zaczyna być ciasno – uważa Mirosław Więch, właściciel warszawskiego biura handlu nieruchomościami Wigro Więch.

Przemysław Puch

0. Ceny mieszkań w miastach są wyższe niż zwykle.   P / N

1. Ceny działek za miastem też są wyższe.   P / N

2. 60% mieszkańców miast marzy o własnym domu.   P / N

3. Trzypokojowe mieszkanie w dużym mieście kosztuje
   200–300 tysięcy złotych.   P / N

4. Ceny ziemi niedaleko wielkich miast nie będą rosnąć.   P / N

Powyższy tekst pochodzi z „Newsweeka" 2004, nr 23. A jak jest dzisiaj?

16 Proszę wysłuchać opisów czterech miast i dopasować do nich poniższe nazwy.

1. Poznań   **2. Częstochowa**   **3. Ustrzyki Dolne**   **4. Łódź**

☐ ☐ ☐ ☐

Wieś
i przyroda

● ● ● **Gramatyka**

1 **Proszę wstawić przymiotnik albo przysłówek:**

a)

> *duży / dużo   mały / mało   długi / długo   trudny / trudno*

1. Kot nie jest taki .....*duży*.... jak koń.
2. Mrówka nie żyje tak .... jak słoń.
3. Wszyscy myślą, że pies śpi ...., ale tak naprawdę jego sen jest ....
4. Czy kot może być twoim przyjacielem? .... powiedzieć.

b)

> *trudny / trudno   łatwy / łatwo   ciekawy / ciekawie   nudny / nudno*

1. Życie na wsi jest ....
2. Ten las jest bardzo duży i .... tu znaleźć grzyby.
3. W moim miasteczku jest bardzo .... Nie ma kina ani dyskoteki. Tylko domy, jezioro i las.
4. Na wsi można żyć .... , jeżeli lubimy zwierzęta i przyrodę.

c)

> *ciepły / ciepło   zimny / zimno   brzydki / brzydko   ładny / ładnie*

1. Dzisiaj jest .... Świeci słońce i nie ma wiatru.
2. Ta zima jest naprawdę .... Wczoraj było −25° C.
3. Na prowincji jest naprawdę .... Lasy, jeziora, pola... Jak możesz mówić, że miasto nie jest ....

2 **Proszę dokończyć zdania:**

1. Trzeba segregować śmieci, bo ....
   ....
2. Wolę mieszkać na wsi, ponieważ ....
   ....
3. Ponieważ ....
   ...., mam dużo przestrzeni.
4. Zwierzęta męczą się w zoo dlatego, że ....
   ....

3 Proszę uzupełnić tabelę z odmianą rzeczowników *wieś* i *zwierzę*. Proszę wstawić rzeczowniki w odpowiedniej formie.

> wsiach   wieś   wsie   wsiom   wsi   wsią   wsiami
> zwierzętami   zwierząt   zwierzęciem   zwierzę   zwierzętach

	liczba pojedyncza		liczba mnoga	
mianownik		zwierzę		zwierzęta
dopełniacz	wsi	zwierzęcia	wsi	
celownik	wsi	zwierzęciu		zwierzętom
biernik	wieś		wsie	zwierzęta
narzędnik				
miejscownik		zwierzęciu		

4 Proszę wstawić rzeczownik *wieś* w odpowiedniej formie.

0. Mieszkam na pięknej ....*wsi*...... .

1. Moi rodzice wyjechali na ....

2. Jędrek wrócił ze .... dwa tygodnie temu.

3. Wodacz to mała ...., która leży 60 kilometrów od Krakowa.

4. Kocham ...., chciałabym się tam przeprowadzić.

5. Tej .... brakuje dobrej infrastruktury.

6. Za tą .... zaczyna się duży las.

7. Polskie .... są najpiękniejsze na świecie!

8. Słyszałam dużo ciekawych rzeczy o bieszczadzkich ....

9. Za tymi .... zaczynają się pola i łąki.

10. Nie lubię dużych ....

5 Proszę wstawić rzeczownik *zwierzę* w odpowiedniej formie.

0. Słoń to duże ....*zwierzę*..... .

1. Nie mam w domu żadnego ....

2. Żubr? Słyszałam o tym .... Chyba żyje w Polsce?

3. Mam małe ....

4. Anakonda jest niebezpiecznym ....

5. Wielbłąd i tygrys to ...., które żyją w Azji.

6. Dzieci lubią ....

7. Krowa i koń są .... domowymi.

8. Przyglądam się tym .... w zoo i myślę, że nie są szczęśliwe.

9. Nie lubię .... wodnych.

6 Proszę wysłuchać nagrania i zaznaczyć, która wypowiedź zawiera argumenty za, a która przeciw mieszkaniu na wsi:

	a	**b**	**c**	**d**
argument za	X	☐	☐	☐
argument przeciw	☐	☐	☐	☐

Słownictwo

7 Proszę uzupełnić poniższe zdania słowami podanymi w ramce.

> łąka   las   gospodarstwo rolne ✓rolnicy   pole   sad

0. .....*Rolnicy*..... to ludzie, którzy mieszkają i pracują na wsi. Ich praca jest bardzo ważna, to oni produkują żywność, którą kupujemy w sklepach.

1. .... to miejsce, w którym mieszka rolnik, ale nie tylko. Znajdują się tu również pomieszczenia gospodarcze dla zwierząt i produkowanej żywności.

2. .... to miejsce pracy każdego rolnika. Rosną tutaj warzywa, a także zboże, z którego produkuje się kasze, mąkę, makarony i inne artykuły żywnościowe.

3. .... to miejsce, gdzie rosną drzewa owocowe: jabłonie, grusze, śliwy, wiśnie i inne.

4. .... to miejsce, gdzie rośnie trawa i kwiaty. Wiosną i latem, przez cały dzień pasą się tu krowy, kozy i inne zwierzęta gospodarskie.

5. .... to miejsce, gdzie rosną drzewa i mieszka dużo zwierząt. Można tam zbierać grzyby.

8 Proszę przeczytać fragment artykułu *SOS dla Polskiej Amazonii* i powiedzieć, czy poniższe zdania dotyczące tekstu są prawdziwe czy nieprawdziwe.

SOS dla Polskiej Amazonii

Aby chronić ostatni naturalny fragment Narwi, w 1996 r. utworzono Narwiański Park Narodowy. Płynąca po prawie płaskim terenie rzeka (spadek nie przekracza 22 cm/km) (...) jest miejscem, w którym żyje wiele rzadkich gatunków zwierząt. Ze względu na walory geologiczne i hydrologiczne (wielokorytowość jest unikatem w skali światowej) rzeka porównywana jest do Amazonki lub Okawango. Niestety, w ostatnich latach poziom wody w Narwi drastycznie się obniżył. (...) Czy więc polskiej Amazonii grozi katastrofa? Być może szansą okaże się nowy plan ochrony parku. Z inicjatywy Północnopodlaskiego Towarzystwa Ochrony Ptaków rozpoczęto już wykup gruntów leżących poniżej parku. Między Rzędzianami a Choroszczą ma nastąpić proces rewitalizacji doliny Narwi, finansowany ze środków międzynarodowej organizacji „Euronatur". Odkopuje się i udrażnia stare koryta rzeki, zasypane podczas melioracji w celu zahamowania odpływu wody z terenu parku. Ten fragment doliny zdaniem ekologów ma strategiczne znaczenie dla położonego powyżej parku – jest jego strefą buforową i być może w przyszłości stanie się częścią parku.

„National Geographic" 2003, nr 10

0. Narwiański Park Narodowy powstał, żeby uchronić
   ostatni naturalny fragment Narwi.   (P)/ N

1. W Narwi żyje bardzo mało gatunków zwierząt.   P / N

2. Rzeka jest porównywana do Amazonki.   P / N

3. Poziom wody w Narwi ostatnio bardzo się podniósł.   P / N

4. Planuje się proces rewitalizacji doliny Narwii.   P / N

● Gramatyka

1 Proszę uzupełnić tabelę. Proszę wstawić rzeczownik *złość* w odpowiedniej formie:

	liczba pojedyncza		liczba mnoga	
mianownik	miłość	złość	miłości	złości
dopełniacz	miłości		miłości	
celownik	miłości		miłościom	
biernik	miłość		miłości	
narzędnik	miłością		miłościami	
miejscownik	miłości		miłościach	

2 Proszę wstawić rzeczownik *miłość* w odpowiedniej formie:

0. Matka daje dzieciom dużo ....*miłości*.... .

1. Nie można żyć bez ....

2. Anna jest największą .... jego życia.

3. Nie zapomniałam o swojej pierwszej ....

4. „Stara .... nie rdzewieje" – czy wiesz, co to znaczy?

3 Proszę wstawić rzeczowniki: *radość, niezgodność, złość, nienawiść, niewierność* w odpowiedniej formie:

0. Moja praca daje mi dużo ....*radości*.... .

1. .... charakterów jest częstą przyczyną rozwodów.

2. Płakałam ze ...., kiedy dowiedziałam się, co powiedział o mnie Marek.

3. Od miłości do .... jest czasami tylko jeden krok.

4. Ewa rozstała się z Tomaszem, kiedy dowiedziała się o jego ....

4 Proszę utworzyć rzeczowniki od następujących przymiotników:

niewierny – ....*niewierność*...

wierny – ....

samotny – ....

stary – ....

młody – ....

głęboki – ....

ciekawy – ....

pewny siebie – ....

wrażliwy – ....

spontaniczny – ....

niezależny – ....

wesoły – ....

5 Proszę napisać historię miłosną (10 – 15 zdań). Proszę użyć słów:

miłość   radość   niezgodność   złość   nienawiść   niewierność   szczęście   zdrada   kłótnia

....
....
....
....
....
....
....
....
....

6 Proszę wysłuchać nagrania i zaznaczyć, które wypowiedzi poruszają poniższe problemy:

CD
14

	nagranie 1	nagranie 2	nagranie 3
rozwód	☐	☐	☐
kłótnie o pieniądze	☐	☐	☐
problemy z dzieckiem	☒	☐	☐

Wymowa

CD
15
7 Proszę powtórzyć za lektorem.

8 *Że czy żeby?*

Gramatyka

0. Uważam, ...*że*..... powinniśmy wyjechać.

1. On chciałby, ... (my) znowu byli razem.

2. Proszę go, ... poszedł ze mną do kina, ale on mówi, ... jest zajęty.

3. Chcę, ... mój partner był bardziej odpowiedzialny.

4. Oczekuję od mojego męża, ... będzie tolerancyjny.

5. Mówię jej, ... powinna mniej pracować.

6. Mówię im, ... byli punktualni. Niepunktualność mnie denerwuje.

9 Proszę dokończyć zdania:

1. Chcemy, żeby ....

2. Prosimy ich, żeby ....

3. Mówią, że ....

4. Mówię mu, żeby ....

5. Oczekujemy, że ....

6. Planuje, że ....

7. Uważa, że ....

8. Oni chcą, żeby ....

9. Pragniemy, żeby ....

10. Wolisz, żeby ....

● **Słownictwo**

10 Proszę zdecydować, które z podanych poniżej zdań wyraża:

życzenie	powinność
	Muszę z nią porozmawiać.

> *Chciałbym, żebyśmy znowu byli razem.*   *Mówiłem mu, że nie powinien palić.*
> ✓*Muszę z nią porozmawiać.*   *Chcę, żebyś przyszedł.*   *Czy nie powinieneś iść spać?*
> *Nie chcę, żeby rodzice się kłócili.*   *Tata mówi mamie, żeby nie pracowała tak dużo.*

11 Proszę przeczytać ogłoszenia matrymonialne i dopasować do siebie poszczególne osoby:

MŁODA MIŁOŚNICZKA PODRÓŻY POZNA MIŁEGO PANA. WIEK NIEWAŻNY.

WDOWIEC, KOCHAJĄCY ŻYCIE POZNA MIŁĄ PANIĄ W ŚREDNIM WIEKU.

LUBIĘ ZABAWĘ, NIE SZUKAM PARTNERKI NA CAŁE ŻYCIE. JESTEM OTWARTY NA NOWE ZNAJOMOŚCI.

JESTEM ROZWÓDKĄ, MAM DWÓCH SYNÓW, KTÓRZY NIEDŁUGO ZACZNĄ DOROSŁE ŻYCIE. CHĘTNIE I JA ZACZNĘ NA NOWO MOJE ŻYCIE. CZY CHCESZ BYĆ MOJĄ DRUGĄ POŁOWĄ?

LUBIĘ ZABAWĘ I WEEKENDY ZA MIASTEM. LUBIĘ ZMIANY. JESTEM MŁODA I ATRAKCYJNA. JEŚLI CHCESZ ŻYĆ CIEKAWIE, POWINNIŚMY SIĘ SPOTKAĆ.

JESTEM MŁODYM, ATRAKCYJNYM BRUNETEM. NIE LUBIĘ KONFLIKTÓW. SZUKAM SPOKOJU I STABILIZACJI, ALE NIE NUDY. UWIELBIAM PODRÓŻE.

TAK NAPRAWDĘ SZUKAM TEGO JEDYNEGO. MAM 35 LAT I WCIĄŻ CZEKAM NA MIŁOŚĆ MOJEGO ŻYCIA. JESTEM AKTYWNA I AMBITNA. NIE CHCĘ, ŻEBY MOJE ŻYCIE UPŁYNĘŁO W SAMOTNOŚCI.

MAM 40 LAT I WCIĄŻ JESTEM KAWALEREM. CZY NA TEJ PLANECIE NIE MA KOBIETY, KTÓRA CHCIAŁABY OFIAROWAĆ MI SWOJĄ MIŁOŚĆ?

12 Oto fragmenty czatu z Tomaszem Wytrwałem, przeorem klasztoru Dominikanów, który mówi o możliwościach otrzymania rozwodu w Kościele katolickim. Proszę dopasować pytania internautów do jego odpowiedzi.

Tomasz Wytrwał
przeor klasztoru Dominikanów w Warszawie
poniedziałek 15.03.04 godz.12:00

Tomasz Wytrwał: Witam serdecznie wszystkich internautów. Będziemy dzisiaj rozmawiać o tzw. rozwodach w Kościele. To będzie nasz główny temat, na inne pytania nie będę odpowiadał.

pytania internautów

1. **rozwodniony:** Jaki jest stosunek Kościoła do sytuacji, kiedy żona opuszcza męża po kilku latach małżeństwa bez dzieci (nie chciała mieć) i odchodzi do innego faceta?

2. **RAFAELLO?:** CZY ROZWODY PANA ZDANIEM TO GRZECH?

3. **KFIATUSZKILJKLJ:** CZY ROZWODY KATOLICKIE SĄ W OGÓLE MOŻLIWE??

4. **2słoneczka:** Czy gdy np. żona zdradzi, można się z nią rozstać z czystym sumieniem?

5. **kleryk_^^:** Jak ksiądz sądzi, dlaczego w Polsce jest tak dużo nieudanych związków? Czy jest to związane z niedojrzałością emocjonalną osób, które pragną związać się węzłem małżeńskim?

6. **mój_nr_606594692:** czy jak miało się żonę i był ślub kościelny i wzięli rozwód to można jeszcze jeden ślub kościelny???

7. **Gróbelek:** Mam poważne podejrzenia, że mój mąż ma problemy z psychiką. Jesteśmy małżeństwem od 5 lat i jest coraz gorzej. Czy gdyby jego stan pogorszył się na tyle, że bałabym się o swoje i dziecka bezpieczeństwo, mam szansę na unieważnienie małżeństwa?

odpowiedzi gościa czatu

a) **Tomasz Wytrwał:** Sam rozwód nie musi być grzechem, choć może być czymś złym. Małżonkowie za wszelką cenę powinni walczyć o małżeństwo.

b) **Tomasz Wytrwał:** Aby małżeństwo było ważnie zawarte, należy spełnić pewne wymagania. Jednym z nich jest przyjęcie i po katolicku wychowanie potomstwa. Jeżeli ktoś w małżeństwie nie chce mieć potomstwa, to jego małżeństwo może być nieważnie zawarte. Wtedy można stwierdzić nieważność takiego małżeństwa.

c) **Tomasz Wytrwał:** Kiedy pracowałem w sądzie kościelnym, najczęstszym tytułem, z którego było orzekane nieważnie zawarte małżeństwo, była: niezdolność do podjęcia istotnych obowiązków małżeńskich z przyczyn natury psychicznej. To na przykład niedojrzałość emocjonalna, uzależnienie od rodziców, alkoholizm itd.

d) **Tomasz Wytrwał:** Zdrada nie jest powodem do stwierdzenia nieważności małżeństwa (...) Natomiast zdrada jest powodem, z którego może być przeprowadzona separacja w Kościele.

e) **Tomasz Wytrwał:** W Kościele nie ma rozwodów. Można jedynie stwierdzić, że małżeństwo zostało od samego początku nieważnie zawarte.

f) **Tomasz Wytrwał:** Problemy ze zdrowiem psychicznym są podstawą do stwierdzenia nieważności małżeństwa, ale to, czy były one wystarczające w konkretnym przypadku, bada sąd kościelny, dlatego należy zwrócić się do sądu.

g) **Tomasz Wytrwał:** Nie można zawrzeć kolejnego związku sakramentalnego. Ważnie zawarte małżeństwo stanowi bowiem przeszkodę do zawarcia kolejnego sakramentalnego związku małżeńskiego.

za: http://czateria.interia.pl/gosc?cid=1105

Przyjaźń

● Gramatyka

1a Proszę uzupełnić tabelę z odmianą rzeczowników *przyjaciel* i *przyjaciółka*. Proszę wstawić rzeczowniki w odpowiedniej formie.

> przyjaciele   przyjaciel   przyjaciołom   przyjacielem   przyjaciołach   przyjaciela   przyjaciół
> przyjaciółkę   przyjaciółkami   przyjaciółki   przyjaciółka   przyjaciółką   przyjaciółkach

	liczba pojedyncza		liczba mnoga	
mianownik				
dopełniacz	przyjaciela	przyjaciółki		przyjaciółek
celownik	przyjacielowi	przyjaciółce		przyjaciółkom
biernik			przyjaciół	przyjaciółki
narzędnik			przyjaciółmi	
miejscownik	przyjacielu	przyjaciółce		

1b Proszę wstawić rzeczownik *przyjaciel* w prawidłowej formie:

0. Łukasz rozmawia ze swoim najlepszym *przyjacielem*.
1. Łukasz szanuje swojego ....
2. Łukasz troszczy się o swojego ....
3. Łukasz nie rozczarował nigdy swojego ....
4. Darek to .... Łukasza.
5. Łukasz kupił swojemu .... prezent.
6. Łukasz zawsze myśli o swoim ....
7. Łukasz i Grzegorz to .... Darka.
8. Darek poszedł ze swoimi .... do klubu.
9. Darek liczy na swoich ....
10. Darek nie rozczarował nigdy swoich ....
11. Darek ufa swoim ....
12. Darek opowiadał mi o swoich ....

1c Proszę wstawić rzeczownik *przyjaciółka* w prawidłowej formie:

0. Ania rozmawia ze swoją najlepszą *przyjaciółką*.
1. Ania szanuje swoją ....
2. Ania troszczy się o swoją ....
3. Ania nie rozczarowała nigdy swojej ....
4. Ewa to .... Ani.
5. Ania kupiła swojej .... prezent.
6. Ania zawsze myśli o swojej ....
7. Ania i Magda to .... Ewy.
8. Ewa poszła ze swoimi .... do klubu.
9. Ewa liczy na swoje ....
10. Ewa nie rozczarowała nigdy swoich ....
11. Ewa ufa swoim ....
12. Ewa opowiadała mi o swoich ....

2 Proszę dokończyć zdania:

0. Gdybym miał przyjaciela, ...*byłbym szczęśliwy*................... .

1. Gdybym nie mieszkał z rodzicami, ...

2. Gdyby wychodził częściej z domu, ...

3. Gdyby wyprowadzili się z domu, ...

4. Gdybyś nie rozczarował swojej przyjaciółki, ...

5. Gdybyście mieli problemy finansowe, ...

6. Gdyby mniej kłócili się ze sobą, ...

3 Proszę wybrać właściwą odpowiedź:

0. On często kłóci się

   a) z przyjacielem   b) z przyjaciela   c) o przyjacielu

1. Troszczysz się

   a) ze swoją rodziną   b) o swoją rodzinę   c) swojej rodziny

2. Ufamy

   a) nauczyciela   b) nauczycielowi   c) nauczycielem

3. Liczę

   a) o tobie   b) na tobie   c) na ciebie

4. Odwzajemniamy

   a) przyjaźń   b) przyjaźnią   c) przyjaźni

5. Przyjaźnię się

   a) z Piotra   b) Piotrem   c) z Piotrem

6. Myślicie często

   a) na przyjaciołach   b) przyjaciółmi   c) o przyjaciołach

4 Proszę uzupełnić zdania, wpisując zaimek *się* w odpowiedniej formie.

0. Przyjaciele ufają .....*sobie*..... .

1. Przyjaciele pomagają .... nawzajem.

2. Przyjaciele mówią .... o wszystkim.

3. Przyjaciele zrobią dla .... wszystko.

4. Przyjaciele często ze .... rozmawiają.

5 Proszę uzupełnić zdania za pomocą właściwego przyimka:

0. Jadę ...*na*... koncert ...*do*... Poznania.

1. Idę .... kolację .... babci.

2. Jesteśmy .... obiedzie .... kolegi.

3. Jedziemy .... góry.

4. Czy oni już są .... górach?

5. Nie chcę jechać .... jezioro. Jest zimno!

6. Jan mieszka .... rzeką Wisłoką.

7. Czy mama już wróciła .... pracy?

8. Kiedy wróciliście .... morza?

9. Lubię .... ciebie przychodzić.

10. Nie możemy teraz wyjść .... niego.

● ● ● **Słownictwo**

6 Proszę wstawić czasownik w odpowiedniej formie.

> √rozmawiać z   szanować   troszczyć się o   ufać   liczyć na
> opowiadać o   rozczarować   myśleć o   mówić o

1. ....*Rozmawiałam ze*... swoimi przyjaciółmi przez całą noc. (oni) .... swoich wakacjach w Chorwacji.

2. Mogę .... moich przyjaciół, kiedy mam problemy. Oni zawsze mi pomagają.

3. Jeśli .... swojemu przyjacielowi, możesz poprosić go o pomoc.

4. Przyjaciół trzeba ....

5. Często .... o moich przyjaciółkach, kiedy byłam za granicą.

6. .... moją przyjaciółkę, która leży w szpitalu. Odwiedzam ją codziennie.

7. Ewa .... swoich przyjaciołach, których poznała w Berlinie.

8. Jeśli twój przyjaciel cię ...., możesz dać mu jeszcze jedną szansę.

● Gramatyka

7 **Proszę zmienić zdania według wzoru:**

0. Ewa wyprowadzić się z domu. / Ewa mieć spokój. – *Gdyby Ewa wyprowadziła się z domu, miałaby spokój* .

1. Ewa pojechać do Londynu / Irena być smutna

....

2. Ewa wyjść za mąż / Ewa mieć mniej problemów

....

3. Ewa rozmawiać z sąsiadką / sąsiadka znać lepiej Ewę

....

4. Ewa nie mieszkać z rodzicami / Ewa nie kłócić się z rodzicami

....

5. Ewa być bardziej pewna siebie / Ewa zrobić karierę naukową

....

6. Ewa chodzić do klubu / Ewa być mniej zestresowana

....

7. Ewa kupić samochód / Ewa mieć więcej czasu

....

8 **Proszę wysłuchać opinii o Ewie, a następnie zanotować wypowiedzi, które wyrażają te uczucia:**

CD 16

sympatia	antypatia	aprobata	dezaprobata
Bardzo lubię panią Ewę.		*Jest bardzo inteligentną osobą.*	

9 Proszę przeczytać tekst, a następnie odpowiedzieć na poniższe pytania:

Przyjaźń przez wieki była sprawą męską. Kobiece przyjaźnie były błahe, jak wszystko wówczas co kobiece (...). Autonomiczną przyjaźń kobiecą zaczyna odkrywać przed światem ruch feministyczny: chcą mieć wszystko to, co ich ciemiężcy.(...) Zdobywają uniwersytety, prezesury i prawo do rodzenia dzieci bądź nierodzenia – jak im się podoba. I co? Socjologowie na Zachodzie zauważają, że prezeski, dyrektorki i inne wonderwomen rozpaczliwie chcą mieć przyjaciółkę, nawet w dawnym, nieważnym stylu (...). Bez chłopów (...)

– Przyjaciółka – twierdzi jedna z takich amerykańskich cudownych bab – to nietoksyczna matka, to siostra z wyboru. (...) Z przyjaciółką wypada się na weekend do Madrytu, Paryża, czyta się wszystkie kretyńskie pisma kobiece, zaśmiewa się do łez, plotkuje, filozofuje, radzi się, papla, płacze. Lifting serca po prostu.

Czy takie same potrzeby mają przyjaciele – mężczyźni? Uważa się, że przyjaźń męska objawia się inaczej – one plotkują, a oni gadają o samochodach, pieniądzach i technice nuklearnej. Tymczasem z ankiety „Psychology Today" wynika, że przyjaciele i przyjaciółki spędzają ze sobą czas w zadziwiająco podobny sposób.

Inaczej rysuje się natomiast trwałość przyjaźni męskiej i damskiej. Ann E. Auhagen, badając tę kwestię, stwierdziła, że przyjaźnie między kobietami okazują się najtrwalsze, lecz również najbardziej burzliwe. Przyjaciółki były często w konflikcie, zarzucały sobie niedbałość, dominację. Mężczyźni natomiast rzadziej przeżywali kryzysy.

Amerykańskie badania wykazały, że zagrożeniem dla męskich przyjaźni jest oddalenie, w kobiecych natomiast przyczyną zerwania jest inna osoba. Badania przeprowadzone w Polsce przez Pentor na zlecenie redakcji „Playboya" wykazały natomiast, że główną przyczyną nietrwałości męskich przyjaźni jest właśnie – ta trzecia.

Kobiety i mężczyźni upodabniają się zapewne do siebie i w tym względzie. Oni coraz więcej plotkują, one – częściej rozważają o technice nuklearnej. Co zaś do przyjaźni między kobietami i mężczyznami – tu się nic nie zmienia. W grę wchodzi seks i tym jest lub będzie zafarbowana prawie każda przyjaźń męsko-damska. 49 proc. respondentów ankiety amerykańskiego miesięcznika doświadczyło przekształcenia się przyjaźni w romans, a niemal jedna trzecia poszła z przyjacielem lub przyjaciółką do łóżka.

Przyjaźń to zwierzę żyjące parami, „Polityka" 2000, nr 7

1. Jaka jest różnica między przyjaźnią mężczyzn i kobiet?
2. Jakie są podobieństwa?
3. Co jest charakterystyczne dla połowy przyjaźni damsko-męskich?

10 Proszę wysłuchać czterech wypowiedzi i zdecydować, co wyrażają.

CD
17

	wypowiedź 1	wypowiedź 2	wypowiedź 3	wypowiedź 4
prośba	☐	☐	☐	☐
propozycja	☐	☐	☐	☐
życzenie	☒	☐	☐	☐
przypuszczenie	☐	☐	☐	☐

lekcja 10

Powtarzamy!!!

● Gramatyka

1 Proszę przeanalizować, co mówią Polacy o swoich przyjaciołach. Co jest dla nich najważniejsze? Proszę przekształcić zdania według wzoru.

0. Jest lojalny. 20%

20% Polaków chce, *...żeby ich przyjaciel był lojalny...* .

1. Jest ciepły, serdeczny. 20%

20% Polaków uważa, ...

2. Jest dyskretny. 70%

70% Polaków marzy o tym, że ....

3. Jest zawsze gotów spędzić ze mną czas. 60%

60% Polaków ma nadzieję, że ....

4. Ma poczucie humoru. 90%

90% Polaków mówi, że ....

5. Jest inteligentny. 65%

65% Polaków oczekuje, że ....

6. Jest niezależny. 90%

90% Polaków uważa, ...

7. Ma podobne zainteresowania. 70%

70% Polaków chciałoby, ...

8. Jest mniej więcej w moim wieku. 60%

60% Polaków oczekuje, żeby ....

9. Pomaga mi w pracy. 20%

20% Polaków ma nadzieję, ...

10. Ma podobne wykształcenie. 50%

50% Polaków chce, ...

11. Ma podobne poglądy polityczne. 50%

50% Polaków oczekuje, że ....

12. Ma podobny zawód. 35%

35% Polaków myśli, ...

13. Jest atrakcyjny fizycznie. 20%

20% Polaków chciałoby, ...

14. Zarabia tyle samo. 30%

30% Polaków uważa, ...

 2 Proszę napisać, jakiego przyjaciela chciałby Pan / chciałaby Pani mieć. Proszę wykorzystać poniższe zwroty.

Chciałbym / chciałabym, żeby...
... powinien być...
Uważam, że...
Moim zdaniem...
Po pierwsze...
Po drugie...
Z jednej strony...
Z drugiej strony...

Wymowa

 3 Proszę powtórzyć za lektorem.

39

● Gramatyka

1 Proszę przekształcić zdania według wzoru.

0. Teraz można wyjeżdżać na wakacje do Hiszpanii.
   Kiedyś / dawniej nie można było wyjeżdżać
   na wakacje do Hiszpanii.

1. Teraz można bez problemu kupić mieszkanie.
   ....
   ....

2. Teraz są zmywarki do naczyń.
   ....

3. Teraz trudno znaleźć dobrą pracę.
   ....

4. Teraz można w sklepie płacić kartą.
   ....

5. Teraz łatwo kupić dżinsy.
   ....

2 Proszę przekształcić zdania według wzoru.

0. Polacy często mieszkają w blokach.
   W Polsce mieszka się w blokach.

1. W lecie dziewczyny noszą krótkie spódnice.
   ....

2. W szkole dzieci uczą się angielskiego.
   ....

3. Na uniwersytecie studenci piszą pracę magisterską.
   ....

4. Kiedyś ludzie nie jeździli samochodami.
   ....

5. Dawniej ludzie nie latali samolotami.
   ....

6. Kiedyś ludzie nie rozmawiali przez telefon.
   ....

3 Proszę uzupełnić tabelę:

rzeczownik	czasownik
wynajęcie	*wynająć*
kupno	
sprzedaż	
opłata	

4 Proszę zamienić podane wyrażenia według wzoru.

0. myć zęby   *mycie zębów*
1. sprzątać mieszkanie ....
2. prasować bluzkę   ....
3. wysyłać kartkę   ....
4. odkurzać pokój   ....

● Słownictwo

5 Proszę podać przeznaczenie tych sprzętów według podanego wzoru.

0. Suszarka służy do   *suszenia włosów* .
1. Lodówka służy do   ....
2. Odkurzacz służy do   ....
3. Zmywarka służy do   ....
4. Czajnik służy do   ....

6 Proszę opisać typowy dzień:

a) tradycjonalistki   b) kobiety nowoczesnej

W moim domu, kiedy wstaję rano ....
....
....
....
....
....

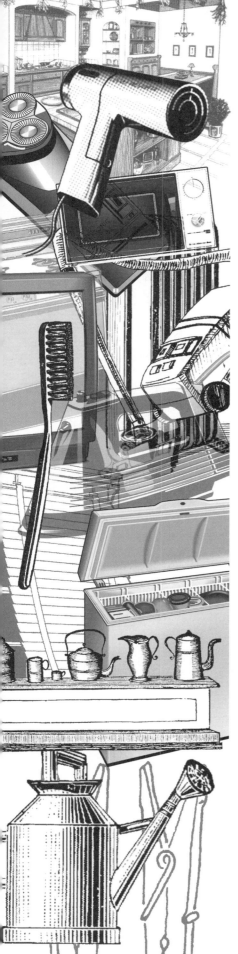

7 Proszę wstawić do poniższych zdań brakujący rzeczownik lub czasownik:

0. działanie / działać

Warto poznać ...*działanie*. drukarki do komputera. Jest bardzo pożyteczna.

Moja drukarka nie ...*działa*...... . Nie wiem, co się stało.

1. projektowanie / projektować

.... sprzętu to dzisiaj konieczność.

Dzisiaj .... się wszystko.

2. promowanie / promować

Każdy musi .... swój produkt. Rynek jest bardzo brutalny.

.... produktu będzie bardzo kosztowne.

3. kształtowanie / kształtować

.... gustu klienta jest faktem. Często nie wiemy nawet, że jesteśmy ofiarą manipulacji.

Każdy projektant powinien .... gust klienta.

8 Proszę wstawić do poniższych zdań brakujący rzeczownik lub czasownik:

0. czytanie / czytać

Powinniśmy ...*czytać*.. dzieciom, to kształtuje ich wrażliwość.

...*Czytanie*. to ważny element wychowania.

1. obsługa / obsługiwać

Musi pani umieć .... komputer i faks.

Oto moje warunki: znajomość języków i .... komputera.

2. wygląd / wyglądać

Te meble dobrze .... w tym pokoju. To był dobry wybór.

.... nie jest ważny. Liczy się cena i jakość.

3. manipulować / manipulowanie

Nie musisz .... klientem, jeśli chcesz sprzedać produkt.

.... klientem jest ważnym elementem sprzedaży produktu.

9 Proszę wstawić podane rzeczowniki w odpowiedniej formie:

0. ...*Wygląd*.... (wygląd) produktu jest bardzo ważny.

1. Dzięki .... (atrakcyjny wygląd) można wszystko łatwiej sprzedać.

2. Żelazko służy do .... (prasowanie), a pralka do .... (pranie).

3. Masz coś do .... (czytanie)? Mam ochotę na dobrą książkę.

4. Między .... (mówienie) a .... (rozumienie) w obcym języku jest duża różnica.

5. Mój syn marzy o .... (projektowanie) samochodów.

Wymowa

CD 19 **10** Proszę powtórzyć za lektorem.

11 Proszę przeczytać tekst *Dyktatura pięknych przedmiotów* i dokończyć zamieszczone pod nim zdania:

Coraz częściej człowiek staje się tylko dodatkiem do wyrafinowanego auta lub wnętrza.

Kiedy dwa przedmioty mają identyczną cenę, pełnią tę samą funkcję i są podobnej jakości, lepiej sprzeda się ten, który jest ładniejszy – Raymond Loewy, słynny amerykański projektant, to właśnie zdanie wydrukował na swojej wizytówce. Zadziałało, wkrótce Loewy otrzymał pierwsze poważne zlecenie. (...)

Dewiza projektanta z lat 30. nie straciła na aktualności. Obecnie możemy wybierać nie spośród dwóch podobnych przedmiotów, lecz dziesiątków, a rzeczy piękne bywają dotkliwie droższe od przeciętnych. Każdą z tych rzeczy – i jednorazowy talerzyk, i luksusowy samochód – ktoś musiał zaprojektować.

Jednak „design" to coś więcej niż tylko wzornictwo przemysłowe. To także strategia, sposób podejścia do przedmiotu. Oprócz samego projektowania, to także sprzedawanie marzeń. Funkcjonalność i ergonomia dawno przestały być głównymi cechami przedmiotów, równie ważny stał się ich charakter, wywoływane przez nie emocje, skojarzenia, nastroje. Kreując wizerunek produktu, designer uwzględnia nie tylko jego praktyczne przeznaczenie, ale także psychikę klientów, by trafić w ich czuły punkt, co spowoduje spontaniczną reakcję i decyzję: chcę to mieć!

Repertuar współczesnych designerów znacznie wykracza poza kanoniczne elementy wystroju wnętrz, takie jak meble, lampy, tkaniny czy szkło. Philipe Starck projektuje makaron, a Norman Foster – słupy wysokiego napięcia.

Słowa „design" używamy, mówiąc o rzeczach z końca XIX wieku i nowszych. Nie przyda się ono w rozmowie o krześle z epoki Ludwika XV, lecz w rozmowie o krześle współczesnego projektanta Philippe'a Starcka: Ludwik XX – jak najbardziej.

Czym różnią się te dwa meble? Stolarz z czasów Ludwika XV sam wymyślił wzór krzesła i sam je wykonał, natomiast Philippe Starck stworzył tylko projekt swojego metalowo-plastikowego „ludwika", a realizują go fabryki. Ludwik XX został wyprodukowany w wielu identycznych kopiach, podczas gdy dawne krzesła były niepowtarzalne, choćby dlatego, że wykonywane ręcznie. Poza tym rzemieślnik sprzed lat nie myślał kategoriami komercji – jego krzesło miało się podobać zleceniodawcy, a nie zadowalać gusta milionów anonimowych osób i wyciągać pieniądze z ich portfeli.

Współczesny rynek boryka się z dwoma poważnymi problemami. Pierwszym jest nasycenie dobrami konsumpcyjnymi (ludzie już prawie wszystko mają), a drugim nadmierny wybór, przed którym stają klienci (mają coraz większy kłopot z podjęciem decyzji). Producenci muszą dobrze się nagłowić, wymyślając kolejne wersje już istniejących przedmiotów, by zachęcić do wydawania pieniędzy na coś, czego tak naprawdę wcale nie potrzebujemy (...).

Dyktatura pięknych przedmiotów

Fragment artykułu Ewy Szymczak „Forum" 2004 nr 6

1. Z dwóch przedmiotów o tej samej cenie i funkcji lepiej sprzeda się ten, który ....

2. „Design" to nie tylko wzornictwo, ale także ....

3. Słowa „design" używamy, kiedy mówimy o rzeczach ....

4. Dwa najpoważniejsze problemy współczesnego rynku to ....

12 Proszę wysłuchać nagrania i zdecydować, o jakim przedmiocie mówią wypowiadające się osoby:

CD 20

	wypowiedź 1	wypowiedź 2	wypowiedź 3	wypowiedź 4
suszarka	☐	☒	☐	☐
odkurzacz	☐	☐	☐	☐
kuchenka	☐	☐	☐	☐
czajnik	☐	☐	☐	☐

Technika i wynalazki

● Gramatyka

1 **Proszę podać poniższe zdania w stronie czynnej:**

0. Druk został wynaleziony przez Gutenberga. ...*Gutenberg wynalazł druk.*.........

1. Teoria heliocentryczna została opracowana przez Kopernika. ....

2. Warszawa została zniszczona przez hitlerowców w czasie II wojny światowej. ....

3. Warszawa była odbudowywana przez Polaków blisko 10 lat. ....

4. Ameryka została odkryta przez Kolumba. ....

5. Polska była okupowana przez Sowietów. ....

2 **Proszę napisać poniższe zdania w stronie biernej.**

0. W roku 3500 p.n.e. w Mezopotamii użyto piktogramu.
   ...*W roku 3500 p.n.e. w Mezopotamii został użyty piktogram.*..................

1. W VII wieku w Chinach zastosowano ksylograf – pierwszą metodę druku tekstów.
   ....

2. W 1929 w USA uruchomiono pierwszą telewizyjną stację nadawczą.
   ....

3. W 1936 w Wielkiej Brytanii rozpoczęto stałą emisję programu telewizyjnego.
   ....

4. W 1935 na wystawie w Berlinie zademonstrowano pierwsze urządzenie rejestrujące dźwięk.
   ....

5. W końcu lat 60. zaprojektowano magnetofon cyfrowy.
   ....

6. W 1953 w USA zaprezentowano prototyp magnetowidu.
   ....

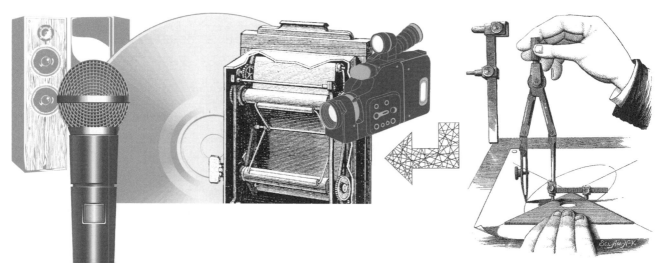

3 Proszę napisać poniższe zdania w stronie biernej.

0. W 1885 roku Szwed J.E. Lundstrom rozpoczął masową produkcję zapałek.
...... *Masowa produkcja zapałek została rozpoczęta w 1885 roku przez Szweda J.E. Lundstroma.* ......

1. W 1445 Gutenberg wydrukował pierwszy fragment tekstu z Księgi Sybilli.
....

2. W 1883 G. Daimler wynalazł silnik benzynowy.
....

3. W 1885 C.F. Benz zbudował samochód 3-kołowy.
....

4. W 1903 H. Ford założył fabrykę samochodów.
....

5. W 1876 A.G. Bell wynalazł telefon.
....

6. W 1903 bracia Wright skonstruowali samolot.
....

7. W XIX wieku Ch. Babbage stworzył koncepcję maszyny liczącej – prototypu komputera.
....

8. W 1944 roku H. Aiken zrealizował ideę Ch. Babbage'a i zbudował pierwszy komputer.
....

9. W 1970 roku firma Philips wyprodukowała pierwszy magnetowid kasetowy.
....

10. W latach 1887–1889 H. Goodwin i G. Eastman wprowadzili film do aparatów fotograficznych.
....

11. 22 III 1895 bracia Lumière zademonstrowali swój wynalazek – kinematograf.
....

12. W 1906 E. Lauste opatentował kamerę dźwiękową rejestrującą mowę ludzką.
....

13. W 1922 J. Engel, J. Massole i H. Vogt zrealizowali w Niemczech pierwszy film dźwiękowy.
....

● ● ● **Słownictwo**

4 Proszę uzupełnić tekst za pomocą podanych poniżej wyrażeń w odpowiedniej formie:

> ✓motoryzacja wpływ dostępny turystyka
> wiek zmienić firma urządzenie

SAMOCHÓD

Rozwój ....*motoryzacji*.... zmienił życie ludzi. Na początku XX (dwudziestego) .... samochód był luksusem, był produktem ekskluzywnym. Teraz samochód ma prawie każda rodzina.

Rozwój motoryzacji jest ważny także dla ekonomii. Szybki transport ludzi i towarów ma .... na rozwój turystyki i biznesu.

SAMOLOT

Ta forma transportu jest ważna dla biznesu i .... Ludzie mogą podróżować po całym świecie, zwiedzić każdy kontynent. Biznesmeni mogą mieć ...., gdzie tylko chcą, i mogą je kontrolować.

TELEFON

Telefon .... życie ludzi w XX (dwudziestym) wieku. Mogą ze sobą rozmawiać, kiedy tylko mają na to ochotę. Telefon nie jest już .... ekskluzywnym, jest .... w każdym domu i w każdym biurze.

5 Proszę wysłuchać nagrania i uzupełnić dialogi:

a)

– Dzień dobry. Czy to biuro obsługi klienta?

– Tak, słucham.

– ....

– Co się stało?

– Nie wiem, nie mogę ....

– Proszę ....

b)

– Dzień dobry. Mam problem. Miesiąc temu kupiłem u Państwa komórkę.

– I co .... ?

– Nie wiem, nie mogę rozmawiać.

– Proszę do nas ....

– To niemożliwe. Najbliższy punkt obsługi klienta jest 20 kilometrów stąd. Pracuję intensywnie. Nie mam czasu w tygodniu na przyjazd.

– To proszę przyjechać w .... Biuro jest otwarte do ....

6 Proszę podać właściwą kolejność podanych poniżej czynności.

Aby skorzystać z telefonu, muszę:

1. odłożyć słuchawkę

2. wybrać numer

3. zostawić wiadomość na sekretarce

4. podnieść słuchawkę

☐ ☐ ☐ ☐

● Gramatyka

7 Proszę podać formy niedokonane następujących czasowników:

0. ....*włączać*....... – włączyć

1. .... – odłożyć

2. .... – zostawić

3. .... – podnieść

4. .... – wybrać

8 Proszę wysłuchać nagrania i zdecydować, czy rozmówcy są zadowoleni czy nie ze swoich zakupów.

	a	b	c	d
osoba zadowolona	☐	☐	☐	☐
osoba niezadowolona	☐	☐	☐	☐

Wymowa

9 Proszę powtórzyć za lektorem.

lekcja

13

Samopoczucie

1 **Proszę dokończyć zdania.**

Słownictwo ●

1. Meteoropata to człowiek, który ....
2. Najlepiej czujemy się latem, bo ....
3. Człowiek, który aktywnie uprawia sport, ...
4. Nasz organizm potrzebuje nie tylko światła, ...
5. Właściwe odżywianie ....
6. Dobra dieta to ....
7. Ludzie, którzy odżywiają się nieregularnie, ...
8. Ważny wpływ na nasze samopoczucie mają ....

2 **Proszę wstawić spójniki: *chociaż, ale, jednak, albo, więc.***

Gramatyka ●

0. Latem pojadę nad morze ..*albo*.. w góry.

1. Piję dużo kawy, ... lekarz mówi, że to niedobre dla zdrowia.

2. Miałam zamiar pojechać na weekend na wieś, ... padał deszcz i zostałam w domu.

3. Była ładna pogoda, ... poszedłem na spacer.

4. Chciałem zaprosić Magdę do teatru, ... ona wolała zostać w domu.

5. Byłem zmęczony, ... nie zrobiłem pracy domowej.

6. Zrobiłam pracę domową, ... byłam zmęczona.

7. Bardzo chciałbym uprawiać sport, ... dużo pracuję i nie mam czasu.

8. Wieczorem czytam .... oglądam telewizję.

9. Wieczorem czytam, ... nigdy nie oglądam telewizji.

3 **Proszę przekształcić zdania według wzoru: *jeżeli..., to...***

0. nie możesz spać / powinieneś iść wieczorem na spacer
   ..... *Jeżeli nie możesz spać, to powinieneś iść wieczorem na spacer.* .

1. nie lubisz morza / warto pojechać w góry
   ....

2. boli cię głowa / musisz rzucić palenie
   ....

3. masz alergię / nie powinnaś jeździć na wieś
   ....

4. boli cię gardło / nie powinieneś palić
   ....

5. boli ją żołądek / powinna jeść mniej
   ....

6. ma zły nastrój / powinien spotkać się z przyjaciółmi
   ....

4 Proszę przekształcić zdania z ćwiczenia 3, używając w drugiej części zdania trybu rozkazującego:

0. nie możesz spać / powinieneś iść wieczorem na spacer
   Jeżeli nie możesz spać, idź wieczorem na spacer! .
1. ....
2. ....
3. ....
4. ....
5. ....
6. ....

5 Proszę wybrać właściwą formę czasownika w bezokoliczniku:

0. Proszę <u>brać</u> / wziąć tę pastylkę dwa razy w tygodniu.
1. Powinieneś pić / wypić mniej piwa.
2. Musisz jeść / zjeść mniej tłuszczów.
3. Muszę coś jeść / zjeść. Jestem strasznie głodny.
4. Lubię pić / wypić wino po obiedzie.
5. Chcę jechać / pojechać w góry.

6 Proszę podać formę przeczącą następujących zdań:

0. Zadzwoń do mnie.   *Nie dzwoń do mnie!*
1. Spotkaj się z nim.   ....
2. Zrób sobie badania.   ....
3. Zjedz banana.   ....
4. Wypij sok.   ....
5. Zagrajmy w tenisa.   ....
6. Pojedźmy na wieś.   ....

● Słownictwo

7 Proszę uzupełnić zdania, używając czasowników *trzeba*, *warto*, *można*:

0. Żeby być zdrowym, ...*warto*..... jeść dużo warzyw i owoców.
1. .... robić badania profilaktyczne raz w roku.
2. .... czasem zjeść tłusty kotlet, ale nie za często.
3. .... uprawiać sport: to gwarancja pięknej sylwetki.
4. .... jeść słodycze, ale .... uważać z ilością.

8 Proszę udzielić rady w następujących sytuacjach:

0. Jestem zmęczony, boli mnie głowa i plecy.
   Powinieneś pracować mniej. Nie pracuj tak dużo!
1. Nie czuję się dobrze w tym miejscu.
   ....
2. Lubię chodzić na piwo z kolegami. Czasem chodzimy nawet codziennie.
   ....
3. Boli mnie brzuch.
   ....
4. Nie mam apetytu.
   ....
5. Nic mi się nie chce.
   ....
6. Za dużo ważę.
   ....

9 Proszę wysłuchać następujących wypowiedzi i zdecydować, czy chodzi o doradzanie czy odradzanie.

CD 24

	a	b	c	d	e	f
doradzanie	☐	☐	☐	☐	☐	☐
odradzanie	☒	☐	☐	☐	☐	☐

10 Proszę połączyć elementy z kolumny po prawej stronie z elementami po stronie lewej:

i	1. Mama daje ci szalik. Nie chcesz go wziąć, mówisz:	a) chce wam się pić.
☐	2. Marek otworzył okno, chyba…	b) Jest nam zimno.
☐	3. Możemy zjeść tę pizzę? Bardzo…	c) jest mu smutno.
☐	4. Nasi rodzice mieszkają teraz na wsi i mówią, że…	d) jest mu gorąco.
☐	5. Czy możesz zamknąć okno?…	e) jest jej niedobrze?
☐	6. Jest blada i źle wygląda, czy…	f) nie o to mi chodzi.
☐	7. Możemy pójść z tobą do kina w piątek,…	g) pasuje ci?
☐	8. Magda wyjechała i Marek mieszka teraz sam, więc…	h) jest im tam dobrze.
☐	9. Dam wam wody mineralnej, jeśli…	i) jest mi ciepło.
☐	10. W tej książce są informacje o historii Krakowa, ale chcę kupić inną, bo…	j) chce nam się jeść.

● Słownictwo

11 Które z poniższych wyrażeń określają dobre, a które złe samopoczucie? Proszę zdecydować i wpisać według wzoru:

> Świetnie!   Super!
> ✓Mam dziś dobry dzień!
> Boli mnie głowa…
> Ciągle jestem zmęczony / zmęczona.
> Fatalnie się dziś czuję.
> ✓Chyba będę chory / chora.   Bardzo dobrze!
> Nie wyspałam się.   Fatalnie…

dobre samopoczucie	złe samopoczucie
Mam dziś dobry dzień!	*Chyba będę chory!*

● Gramatyka

12 Proszę poprawić poniższe zdania.

0. Boli ~~mu~~ głowa. *go*
1. Bolą jej plecy.
2. Jest nas smutno.
3. Chce ją się pić.
4. Jest cię zimno.
5. Ten termin nie pasuje nimi.
6. Dlaczego jest wami tak wesoło?
7. Potrzebny jest was ten słownik?
8. Jest ich dobrze razem.
9. Czy o to ciebie chodzi?

Wymowa

CD 25 **13** Proszę powtórzyć za lektorem.

14 Proszę napisać kilka rad dla osoby, która zaczyna żyć zdrowo. To jej pierwszy dzień. Uwaga na formy trybu rozkazującego.

0. *Zjedz jabłko i wypij herbatę miętową.*

1. ....

2. ....

3. ....

4. ....

5. ....

6. ....

7. ....

15 Proszę uzupełnić fragment tekstu *Nieletni w depresji* za pomocą słów podanych poniżej.

> nauki   przygnębiony   raporcie
> komputerowe   przyjaciół   cierpi
> próby   samobójcze
> ✓ młodego pokolenia   śmiercią
> życiowy   alkoholu

Nieletni w depresji

Coraz słabsza jest kondycja psychiczna *młodego pokolenia* . Co piąte dziecko (nawet czterolatki) cierpi na zaburzenia psychiczne – alarmują w najnowszym .... Światowa Organizacja Zdrowia (WHO) i United Children Found. (...) Co trzeci nastolatek przynajmniej raz odczuwał (...) poważne zaburzenia nastroju: był ...., nie widział sensu dalszej ...., izolował się od kolegów i ...., cały czas wolny poświęcał na surfowanie w Internecie i gry .... Podobnie jest w Polsce, na zaburzenia psychiczne .... co najmniej 15–20% dzieci i młodzieży – mówi Maciej Piróg, dyrektor Centrum Zdrowia Dziecka w Warszawie. (...) Według profesora Davida Schaffera, psychiatry z Columbia University w Nowym Jorku, co roku 500 tys. dzieci i młodzieży podejmuje (...) ...., które u 2 tys. z nich kończą się .... (...) Najczęstszym powodem jest kryzys .... spowodowany niepowodzeniami w szkole lub kolizją z prawem, a także depresje, schizofrenia, nadużywanie .... lub narkotyków.

Fragment artykułu *Przedszkole rencistów* „Wprost" 2003, nr 13

16 Proszę przeczytać tekst i zdecydować, czy poniższe zdania są prawdziwe czy nieprawdziwe.

Pod adresem www.pierwszawizyta.pl młode kobiety, które jeszcze nie były u ginekologa, mogą zapoznać się z poszczególnymi etapami wizyty, uzyskać porady, jak się do niej przygotować i znaleźć sugestie pytań, które mogą zadać lekarzowi – na przykład na temat zaburzeń miesiączki, metod zapobiegania niechcianej ciąży, chorób przenoszonych drogą płciową. Strona jest interaktywna, pomyślana na zasadzie prowadzenia dialogu z przyjaciółką.

– Kobiety często nie mają świadomości, jak ważne są regularne wizyty u ginekologa – tłumaczą specjaliści.

– A tymczasem mogą one ratować życie, bo, na przykład, pozwalają wykryć nowotwory we wczesnym stadium, w którym możliwe jest jeszcze skuteczne leczenie.

„Przekrój" 2004, nr 13

		prawda	nieprawda
1.	Pod adresem www.pierwszawizyta.pl młode kobiety mogą umówić się na wizytę u ginekologa.	☐	☐
2.	Strona jest interaktywna, daje możliwość zadawania pytań na zasadzie dialogu.	☐	☐
3.	Regularne wizyty u ginekologa, zdaniem specjalistów, są bardzo ważne.	☐	☐
4.	Wizyty u ginekologa nie mogą uratować życia, bo nie pozwalają wykryć nowotworów we wczesnym stadium.	☐	☐

Gramatyka

1 **Piętnastoletnia Kasia jedzie po raz pierwszy sama na wakacyjny obóz szkolny nad morze. Matka prosi Kasię, żeby:**

> ✓ *uważała   dzwoniła do niej codziennie albo pisała e-maile   nie wychodziła nigdzie sama*
> *słuchała opiekunów   nie chodziła na dyskoteki   kładła się wcześnie spać   ciepło się ubierała*
> *wzięła krem z filtrem UV   nie zapomniała aspiryny   spakowała porządnie walizki*
> *pilnowała portfela   nie zgubiła karty   wróciła cała i zdrowa*

Proszę napisać prośby mamy w trybie rozkazującym.

Uważaj! ....

....

....

....

....

....

....

....

....

....

1. ....

2. ....

2 **Proszę uzupełnić zdania rzeczownikami i zaimkami w celowniku:**

0. Kupiłam *mojej mamie*. piękny prezent. (moja mama)

1. Lubię robić zdjęcia .... (moje dziecko)

2. Dałem .... bursztynową bransoletkę. (moja babcia)

3. Zawsze kupuję kwiaty .... (moja żona)

4. Ufam .... całkowicie. (mój przyjaciel)

5. Powiedziałem ...., że wyjeżdżam na wakacje. (mój profesor)

6. Kupiłam .... nową smycz. (mój pies)

7. Podarowałem .... słownik multimedialny. (mój kolega)

3. ....

10. ....

9. ....

3 Wakacje to wspaniała rzecz, ale czy naprawdę zawsze możemy je spędzić zgodnie z planem? Te osoby mają pewien problem, proszę udzielić im rady. Proszę wstawić czasowniki podane w nawiasach w trybie rozkazującym:

1. Artek zawsze podróżował motorem po Europie, ale teraz ma małe dziecko i jego żona chce pojechać na dwa tygodnie nad morze...

   a) ..*Zrezygnuj*.. (zrezygnować) ze swoich planów, rodzina jest najważniejsza!

   b) .... (myśleć) pozytywnie, nad morzem jest fajnie!

   c) .... (jechać) z dzieckiem, będzie zachwycone!

2. Kasia często spędza wakacje nad wodą, lubi się opalać i kąpać. Teraz jej nowy chłopak proponuje, żeby pojechała z nim na Mazury popływać żaglówką. Kasia się boi...

   a) Nie .... (bać się), na pewno będzie wspaniale!

   b) .... (zaufać) swojemu chłopakowi, Mazury są piękne!

   c) .... (wziąć) ze sobą kilka ciepłych swetrów!

3. Irena chciała jak co roku pojechać na wakacje do Krynicy, jednak mąż prosi, żeby tym razem pojechała też z nimi jego matka, która jest chora na astmę i powietrze górskie dobrze jej zrobi...

   a) .... (zaprosić) teściową, na pewno będzie ci wdzięczna!

   b) Nie .... (martwić się), wyjazd na pewno okaże się udany!

   c) .... (zgodzić się) na prośbę męża, wiesz jak mu na tym zależy!

Słownictwo

4 Oto pamiątki, które możesz przywieźć z wakacji w Polsce. Proszę je podpisać.

> ciupaga   biżuteria z bursztynu   haftowana serwetka   drewniany anioł   góralski kożuch   żubrówka
> kryształ   porcelanowa filiżanka z wzorem kaszubskim   album z Tatrami   czapka krakowska
> serce z piernika   lalka ludowa   krasnal ogrodowy   figurka Smoka Wawelskiego   kierpce

4. ....

5. ....

6. ....

7. ....

8. ....

11. ....

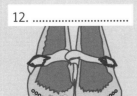

12. ....

13. ....

14. ....

15. ....

● Gramatyka

5 **Co kupiłbyś / kupiłabyś sobie, a co swojej rodzinie i przyjaciołom?**

ja – *sobie kupiłbym ciupagę*

mama – *mojej mamie podarowałabym*

tata – *dałbym*

siostra – *przywiozłabym*

brat – ....

babcia – ....

dziadek – ....

przyjaciel – ....

przyjaciółka – ....

żona – ....

mąż – ....

dziewczyna – ....

chłopak – ....

syn – ....

córka – ....

6 **Proszę podkreślić właściwą formę:**

0. Ta miejscowość jest usytuowana na prawym brzegu / nad prawym brzegiem Wisły.

1. Na zachodzie / na zachód od Gdańska jest wiele pięknych plaż.

2. Zgorzelec jest usytuowany na granicy / za granicą z Niemcami.

3. Sanok to miasto na południowy wschód / na południowym wschodzie Polski.

4. Suwałki znajdują się na północnym wschodzie / na północny wschód Polski.

5. Wałbrzych to miasto na Dolnym Śląsku na południu / na południe Polski.

6. Region ten sąsiaduje z Pomorzem / Pomorza.

● Słownictwo

7 **Proszę zdecydować, czy to prawda czy nie?**

0. Poznań leży na południu Polski.	P /Ⓝ
1. Częstochowa leży na północ od Krakowa.	P / N
2. Kraków leży nad Wisłą.	P / N
3. Wrocław to miasto nad Odrą.	P / N
4. Cieszyn to miasto na granicy z Czechami.	P / N
5. Polska sąsiaduje z Litwą i Łotwą.	P / N
6. Na zachodzie sąsiadujemy z Niemcami.	P / N
7. Gdynia to miasto nad Morzem Bałtyckim.	P / N
8. Tatry są częścią Karpat.	P / N

8 **Proszę wysłuchać reklam radiowych i uzupełnić tekst brakującymi słowami:**

1. Jaskinia solna

Jest najnowszą oryginalną metodą

.... za pomocą soli morskiej.

Czyste zjonizowane powietrze działa

pozytywnie przy:

• chorobach nosa, ..., płuc,

• chorobach serca,

• chorobach ....,

• chorobach dermatologicznych,

• nerwicach, ...

Zakład przyrodoleczniczy „Maria"

w Iwoniczu-Zdroju, ul. Zimna 23

Rezerwacja pobytów: 034 576 89 87

Rezerwacja seansów: 034 536 78 76

Zapraszamy przez 7 dni w tygodniu

od 7.00 do 19.00

2. Wakacje w Juracie już od 1000 złotych za tydzień!!! Czyste ...., cisza, spokój, komfortowe ...., świetna kuchnia. Hotel „Afrodyta" .... przez cały rok!

3. Werlas to miejscowość położona w Bieszczadach, nad .... Solińskim. Kemping na 200 osób zlokalizowany jest w sąsiedztwie Bieszczadzkiego .... Narodowego, co daje możliwość poznania .... i flory tego regionu. Zapraszamy miłośników .... i ....

9 Proszę przeczytać tekst, a następnie odpowiedzieć na pytania poniżej:

Do POLSKI
na weekend?

Doskonały pomysł i to o każdej porze roku!

I latem, i zimą jest bowiem gorąco przy mocnych rytmach w dyskotekach Warszawy czy Krakowa, Szczecina czy Wrocławia, Gdańska czy Poznania. Poczujesz się tak samo jak w Londynie albo Paryżu, Berlinie lub Brukseli, ale jednak – zawsze trochę inaczej.

O każdej porze roku ma też swój urok clubbing. Ruch jest wszystkim, cel niczym – jak mawiał filozof, więc niektórzy smak wieczoru, czar nocy czują właśnie w wędrówce od klubu do klubu. Inni natomiast przeciwnie, wybierają sobie jeden klub najbliższy upodobaniom (...). A jest takich wiele, o dużej różnorodności.

Zarówno wiosną, jak jesienią i latem, i zimą, możesz udanie spędzić czas w każdym z wielkomiejskich kompleksów handlowo-rozrywkowych. Zresztą wiadomo, w całej Europie ich układ jest w zasadzie powtarzalny. Obok sklepów, butiki i galerie. Obok restauracji ze specjalnościami kuchni wielu narodów, nastrojowe kafejki i standardowe fast foody. Obok multikina ze światowym repertuarem – kawiarenki internetowe (...). Można nie patrzeć tam na zegarek i nie odróżniać ranka od wieczoru.

Znajdą nad Wisłą bratnie dusze amatorzy hip-hopu, mogą spotkać także jego mistrzów, których – czy to było wcześniej do pomyślenia? – oglądał nawet polski Papież na audiencji w Watykanie. A entuzjaści graffiti obejrzą przy torze wyścigów konnych na Służewcu jeden z największych, a może i największy w Europie mur zapełniony graffiti. Dodajmy, zamalowany legalnie!

Propozycji mogą być dziesiątki. Jedni wybiorą windsurfing w Zatoce Puckiej, gdzie natura stworzyła warunki idealne zarówno dla nowicjuszy, jak i wtajemniczonych. Inni mogą spędzić niezapomniany weekend w siodle.

Jedni ruszą w kurs po galeriach sztuki współczesnej. Inni – na shopping: ciuchowy, hobbystyczny czy pamiątkarski (a w tej dziedzinie Polska i liczne jej regiony mają swoje „firmowe" specjalności).

A więc na weekend do Polski? Oczywiście tak! Musisz tylko dokonać wyboru!

www.poland-tourism.pl

Co znajdzie w Polsce amator:

– clubbingu
– zakupów
– kina
– muzyki hip-hop
– sportów wodnych
– dobrej kuchni

10a Proszę wysłuchać sześciu wypowiedzi i powiedzieć, czy mówiące osoby zachęcają czy zniechęcają do odwiedzania prezentowanych miejsc:

	1	2	3	4	5	6
zachęcanie	☐	☐	☐	☐	☐	☐
zniechęcanie	☒	☐	☐	☐	☐	☐

10b Proszę posłuchać jeszcze raz nagrania i podkreślić właściwą odpowiedź.

Osoba 1 mówi o spędzaniu czasu:
   a) w <u>klubie</u>
   b) na zakupach

Osoba 2 mówi o:
   a) jedzeniu
   b) dobrej restauracji

Osoba 3 mówi o wakacjach:
   a) w górach
   b) nad morzem

Osoba 4 mówi o:
   a) galerii handlowej
   b) galerii sztuki

Osoba 5 mówi o:
   a) galerii handlowej
   b) galerii sztuki

Osoba 6 woli:
   a) małe kina
   b) multipleksy

11 Proszę zdecydować, która z prezentacji będzie najatrakcyjniejsza dla:

☐ a) osoby religijnej
☐ b) amatora wycieczek górskich
☐ c) osoby starszej z problemami zdrowotnymi
4 d) osoby interesującej się historią

Osoba interesująca się historią pojedzie do Gniezna.

1 Góry Świętokrzyskie, ze szczytami pokrytymi kamiennymi gołoborzami, są najstarszymi górami w Polsce. Ich najwyższe i najpiękniejsze partie, w tym Puszczę Jodłową, objęto Świętokrzyskim Parkiem Narodowym. Na Świętym Krzyżu, drugim co do wysokości szczycie Gór Świętokrzyskich (596 m n.p.m.), stoi zabytkowy klasztor Benedyktynów z relikwiami Krzyża Świętego.

2 Na Dolnym Śląsku jest 12 miejscowości uzdrowiskowych. Źródła wód mineralnych przyciągały tu rzesze kuracjuszy już od XVIII wieku. Przyjeżdżali tu królowie, książęta, pisarze, artyści. Korzystny klimat, podgórskie i górskie krajobrazy, piękne parki narodowe, liczne sanatoria i domy wczasowe, imprezy muzyczne – to wszystko przyciąga kuracjuszy i turystów także dziś. Tutejsze wody mineralne to najczęściej szczawy. Do największych uzdrowisk należą: Polanica Zdrój, Duszniki Zdrój, Cieplice Zdrój, Lądek Zdrój.

3 Kościół oo. Bernardynów z klasztorem i parkiem pielgrzymkowym znajduje się na Liście Światowego Dziedzictwa UNESCO. Barokowy XVII-wieczny kościół słynie z cudownego obrazu Matki Boskiej Kalwaryjskiej. Tzw. dróżki kalwaryjskie – to zespół obiektów sakralnych, kapliczek i kościółków, malowniczo położonych na wzgórzach w dolinie potoku. Co roku przybywa tu ponad milion pielgrzymów. Kalwaria słynie z organizacji barwnych misteriów pasyjnych i odpustów. Największe procesje odbywają się w Wielkim Tygodniu i z okazji Wniebowzięcia Matki Boskiej.

4 Gniezno. Pierwsza stolica Polski. Patronem miasta jest św. Wojciech. Do jego grobu w 1000 roku przybył cesarz Otton III. Na wzgórzu stoi monumentalna gotycka katedra z XIV/XV wieku, w podziemiach znajdują się fragmenty wcześniejszych budowli sakralnych. W prezbiterium – barokowa konfesja ze srebrnymi relikwiarzami św. Wojciecha, obok jego grobowiec. Drzwi Gnieźnieńskie w katedrze to najwspanialsze dzieło sztuki romańskiej w Polsce przedstawiające historię życia i śmierci św. Wojciecha.

www.poland-tourism.pl

lekcja

15

Powtarzamy!!!

1 Co powiedzieć w tej sytuacji? Proszę wybrać z kolumny po prawej stronie właściwą radę w sytuacjach zaprezentowanych z lewej strony.

Kuzyn:	Jestem zdenerwowany.		Syn:	Idź do lekarza!
Żona:	Mam migrenę.		Córka:	Nie kupuj jej!
Kolega:	To co, idziemy?		Kuzynka:	Uspokój się!
Syn:	Wychodzę.		Mąż:	Weź tabletkę!
Ojciec:	Od kilku dni ciągle boli mnie brzuch.		Matka:	Weź czapkę, jest bardzo zimno!
Matka:	Jak myślisz, kupić tę spódnicę?		Ty:	Nie bój się!
Koleżanka:	Boję się twojego psa.		Ty:	Uważaj! Jest czerwone światło!

● Gramatyka

2 Proszę przekształcić zdania z ćwiczenia 1 według wzoru.

... Kuzynka mówi kuzynowi, żeby się uspokoił. ...

....

....

....

....

....

....

4 Proszę podać prawidłową formę rzeczowników.

	do + dopełniacz
płyn → myć okna	*...płyn do mycia okien...........*
proszek → prać	....
maszyna → szyć	....
maszyna → robić lody	....
coś → pić	....
coś → jeść	....
czajnik → gotować wodę	....
piekarnik → piec	....
łóżko → spać	....
krzesło → siedzieć	....

3 Proszę wstawić właściwą formę zaimka osobowego.

0. Jest ...*mi*... zimno. (ja)
1. Boli .... głowa. (on)
2. Mam dużo czasu dla .... (ty)
3. Wyjeżdżamy jutro, żeby zobaczyć się z .... (wy)
4. Mój syn często choruje, więc często wyjeżdżam z .... nad morze. (on)
5. Chcę jechać na wakacje z .... (oni)
6. Nie mogę pracować bez .... (ona)
7. Co .... jest? (ty) Wszystko w porządku?
8. Nie czuję się dobrze. Jest .... słabo. (ja)
9. Co .... jest? (wy) Czujecie się źle?
10. Nad morzem było świetnie, ale było .... trochę zimno. Lepiej pojechać tam latem. (my)

5 Proszę napisać list do przyjaciela. Proszę wybrać jeden z podanych niżej tematów:

a) Moje ostatnie wakacje.
b) Te wakacje to był prawdziwy koszmar!
c) Moja wymarzona podróż.

Wymowa

CD 28 **6** Proszę powtórzyć za lektorem.

Słownictwo

1 **Każde święto ma swoje rytuały i tradycje. Proszę zdecydować, które z nich są typowe dla wymienionych świąt.**

> *malowanie jajek   Wigilia   choinka*
> *12 potraw   kolędy   prezenty*

Boże Narodzenie	Wielkanoc

3 **Proszę połączyć święto z odpowiednią datą:**

☐ 1. 25 i 26 XII   a) Święto Pracy
☐ 2. 1 I   *e*   b) Dzień Kobiet
☐ 3. 11 XI   c) rocznica uchwalenia Konstytucji
☐ 4. 8 III   d) Boże Narodzenie
☐ 5. 3 V   e) Nowy Rok
☐ 6. 1 V   f) Święto Niepodległości

2 **Proszę powiedzieć, co to za święto:**

0. *Boże Narodzenie*
Ludzie spędzają to święto razem. W przeddzień tego święta jedzą razem kolację wigilijną. W Polsce tradycyjnie jest to kolacja bezmięsna.

1. ....
To święto jest dniem wolnym od pracy, co jest trochę dziwne. Wtedy właśnie powinniśmy pracować. Jest ono na początku miesiąca, jeszcze kilkanaście lat temu wszyscy Polacy musieli uczestniczyć w pochodach z okazji tego święta.

2. ....
To najważniejsze święto w Kościele katolickim. Jest w marcu albo w kwietniu.

3. ....
To nie jest święto kościelne. Jest bardzo ważne dla Polaków, bo przypomina, że Polska po ponad 100 latach zaborów odzyskała autonomię polityczną.

4. ....
To święto inicjuje początek roku. Aby je uczcić, organizuje się przyjęcia w domach, w restauracjach albo u znajomych.

4 **Proszę znaleźć właściwą reakcję na podane informacje:**

1. Babcia Twojego kolegi jest w szpitalu:
   a) Przykro mi!
   b) Cieszę się!
   c) Gratulacje!

2. Twój przyjaciel bierze ślub:
   a) Miło mi!
   b) Gratuluję!
   c) Przykro mi!

3. Twoja siostra urodziła dziecko:
   a) Przykro mi!
   b) Moje kondolencje!
   c) Gratulacje!

4. Koledze z pracy umarł ojciec:
   a) Moje kondolencje!
   b) Miło mi!
   c) To wspaniałe!

5. Twoja ciocia ma imieniny:
   a) Wszystkiego najlepszego!
   b) Wesołych Świąt!
   c) Gratulacje!

6. Nadchodzi Boże Narodzenie:
   a) Wesołych Świąt!
   b) Gratulacje!
   c) Sto lat!

7. Jesteś na urodzinach u kolegi. Wznosicie toast:
   a) Wesołych Świąt!
   b) Miłego weekendu!
   c) Sto lat!

Gramatyka

5 Proszę wybrać właściwą formę zaimka osobowego:

0. Życzę Cię / Ci dużo zdrowia.
1. Jest mu / go smutno, że nie mógł przyjechać na Twoje urodziny.
2. Jest nam / nas miło, że możemy się spotkać.
3. Jest mnie / mi żal, że nie poszłam na tę uroczystość.
4. Współczuję was / wam.
5. Pogratulowałeś jej / ją awansu?

6 Proszę napisać słownie datę podaną w nawiasie:

1. Wielkanoc jest zawsze w ....*marcu*...... (III) lub w .... (IV).
2. Moje urodziny są .... (23 V).
3. Urodził się .... (14 VII 1956).
4. Co robimy .... (1 I)?

lekcja
16

7 Proszę uzupełnić. Historia Kasi i Wojtka.

Kasia i Wojtek *poznali się* (poznawać się, poznać się) jeszcze w liceum. Wojtek .... (proponować, zaproponować) Kasi randkę i Kasia .... (godzić się, zgodzić się). Chodzili ze sobą prawie 5 lat. W tym roku .... (postanawiać się, postanowić się) pobrać. .... (decydować, zdecydować), że wezmą ślub na Święta Bożego Narodzenia.

8 Proszę wstawić podane rzeczowniki w dopełniaczu:

0. W Nowym Roku życzymy Wam dużo ......*zdrowia*........ i ..*radości*.. (zdrowie i radość).
1. Z okazji Świąt .... (Boże Narodzenie) życzę Wam .... (zdrowie, szczęście i miłość).
2. Z okazji .... (imieniny) życzę Ci .... (wszystko najlepsze).
3. Z okazji .... (Wasz ślub) życzymy Wam .... (miłość, wytrwałość) oraz dużo .... (dzieci).

4. Z okazji .... (obrona) pracy magisterskiej życzę Ci .... (znalezienie) ciekawej pracy i .... (wiele sukcesów) w przyszłości.
5. W pierwszym dniu w szkole życzę Ci Piotrusiu .... (dobre oceny) i .... (wiele) kolegów.
6. Kochana Mario. Dowiedziałam się o śmierci Twojej matki. Bardzo mi przykro. Przyjmij wyrazy .... (najgłębsze współczucie).

9 Proszę utworzyć zdania:

1. Mieszkaliśmy w pięknym mieszkaniu i
2. My byliśmy szczęśliwi, a
3. Byli biedni, ale
4. W Sylwestra pójdziemy do znajomych albo
5. 1 I to święto, więc
6. Ludzie tańczyli, więc
7. Czekałem na niego, aż

a) bardzo się kochali.
b) zostaniemy w domu.
c) nie musimy iść do pracy.
d) byliśmy szczęśliwi.
e) wróci do domu.
f) pomyślałem, że dobrze się bawią.
g) oni nie mogli ze sobą żyć.

10 Proszę wysłuchać wypowiedzi i zdecydować, co mówią przedstawiane osoby. Czy składają życzenia, wyrazy współczucia czy gratulacje?

CD 29

	a	b	c	d	e	f
życzenia	☐	☐	☐	☐	☐	☐
wyrazy współczucia	☐	☐	☐	☐	☐	☐
gratulacje	☐	☒	☐	☐	☐	☐

57

11 Proszę przeczytać tekst i zdecydować, czy podane poniżej zdania są prawdziwe (P) czy nieprawdziwe (N).

Dzień kobiet 8 marca

W starożytnym Rzymie w pierwszym tygodniu marca obchodzono Matronalia, święto związane z początkiem nowego roku, macierzyństwem i płodnością. Ale dopiero w dwudziestym wieku zaczęto obchodzić Dzień Kobiet. To święto ma być wyrazem szacunku dla ofiar walki o równouprawnienie kobiet.

8 marca 1908 roku 15 tysięcy pracownic fabryki tekstyliów w Nowym Jorku rozpoczęło strajk. Chciały polepszenia warunków pracy i prawa wyborczego. Właściciel zamknął protestujące kobiety w fabryce, żeby uniknąć skandalu. Niestety, wybuchł pożar. Zginęło 129 strajkujących. W 1911 roku po raz pierwszy kobiety zdecydowały się upamiętnić to wydarzenie: 8 marca wszedł do kalendarza jako DZIEŃ KOBIET.

W Polsce w czasach PRL-u to święto było bardzo popularne. Symbolem DNIA KOBIET stał się goździk, łatwo dostępny kwiat, a także rajstopy, które kobiety dostawały w pracy w prezencie od przełożonych albo kolegów. Było to święto radosne i mało kto zastanawiał się, jaka była jego geneza. Podobnie było i jest w innych krajach postkomunistycznych. W Rosji na przykład do dziś jest to dzień wolny od pracy, organizowane są liczne imprezy, a kwiaciarnie sprzedają rekordową ilość kwiatów.

W innych krajach DZIEŃ KOBIET to okazja do demonstracji i wieców, podczas których przedstawicielki ruchów feministycznych domagają się większych praw dla kobiet. W Polsce po upadku komunizmu zmienił się charakter tego święta. Panowie przestali przynosić rajstopy i goździki, a na ulicach pojawiły się tulipany i róże. Nowe organizacje feministyczne zaczęły przygotowywać demonstracje podobne do tych, które odbywają się w krajach Europy Zachodniej.

Od 2000 roku w Warszawie odbywa się tak zwana MANIFA – akcja koordynowana przez nieformalną grupę Porozumienie Kobiet 8 Marca. W jej skład wchodzą znane dziennikarki, pisarki, kobiety zaangażowane w politykę i działaczki społeczne. Manifa to marsz ulicami Warszawy, podczas którego protestuje się przeciw dyskryminacji kobiet, seksizmowi, przemocy domowej i zakazowi aborcji. Ostatnio do Porozumienia Kobiet 8 Marca dołączyło Porozumienie Lesbijek, które protestują przeciw homofobii. Akcje na ulicach Warszawy są obserwowane i żywo komentowane przez media. Spotykają się z różnymi reakcjami mieszkańców miasta i całego kraju. Zdarza się, że przedstawicielki Porozumienia Kobiet 8 Marca są obiektem ataków ze strony konserwatywnych ugrupowań politycznych.

Czy kobiety polskie lubią DZIEŃ KOBIET? Zdecydowanie tak, chociaż wolałyby, żeby ich praca i zaangażowanie w życie społeczne i rodzinne były bardziej doceniane. Potrzebują też więcej wsparcia ze strony panów. Większość Polek uważa, że zarabia zbyt mało, a na pewno mniej niż mężczyźni na tych samych stanowiskach. Bezrobocie wśród kobiet jest większe niż wśród mężczyzn. Panowie zajmują też więcej stanowisk kierowniczych w prywatnych firmach i instytucjach publicznych. Kobieta w większym stopniu zajmuje się domem i wychowaniem dzieci.

Niestety, statystyki dotyczące przemocy w rodzinie nie są zbyt optymistyczne. Kobiety często mają poczucie, że nie mogą liczyć na pomoc ze strony państwa w sytuacji kryzysowej. Zanotowano też niski poziom świadomości praw przysługujących kobietom w trudnej sytuacji rodzinnej.

Może 8 marca to okazja, żeby zastanowić się nad tymi wszystkimi problemami i próbować je rozwiązać?

żonkil

tulipan

goździk

Róże to jeden z najpopularniejszych kwiatów na Dzień Kobiet.

0. Dzień Kobiet jest obchodzony od początku XX wieku.   Ⓟ/ N

1. Pierwszy strajk kobiet miał miejsce w Londynie.   P / N

2. W Polsce w czasach PRL-u kobiety dostawały w Dniu Kobiet goździki i rajstopy.   P / N

3. W czasie demonstracji i wieców kobiety dają sobie wzajemnie goździki i rajstopy.   P / N

4. Manifa to marsz przeciw dyskryminacji i przemocy w rodzinie.   P / N

5. W Polsce sytuacja kobiet i mężczyzn w pracy jest taka sama.   P / N

6. Kobiety polskie nie wiedzą, do kogo mogą się zwrócić, kiedy mają problemy rodzinne.   P / N

Wymowa

CD 30 **12** **Proszę powtórzyć za lektorem.**

lekcja 16

lekcja 17

Internet

Gramatyka

1 Proszę uzupełnić pytania.

0. ....*Dlaczego*...... nie kupiłeś laptopa?

1. .... służy ten kabel?

2. .... szukałaś w Internecie?

3. .... byłeś w kinie, z twoją dziewczyną czy z kolegami?

4. .... położyłaś słownik?

5. .... jedziecie na wakacje?

6. .... ci są potrzebne te informacje?

7. .... to napisać?

8. .... masz adres e-mail?

9. .... masz stronę internetową?

2 Proszę wysłuchać następujących wypowiedzi i zaznaczyć w odpowiednich rubrykach wyrażenia, które Państwo usłyszeli:

	a	b	c	d	e	f
To niesamowite!	☐	☐	☐	☐	☐	☐
Nie żartuj!	☒	☐	☐	☐	☐	☐
Nie mogę w to uwierzyć!	☐	☐	☐	☐	☐	☐
Co ty mówisz!	☐	☐	☐	☐	☐	☐
To niemożliwe!	☐	☐	☐	☐	☐	☐
Co ty!	☐	☐	☐	☐	☐	☐

3 Proszę wstawić zaimek *który* w odpowiedniej formie:

0. Nagrywarka, ...*której*.... używam, jest bardzo dobra.

1. Sprzedałem moją drukarkę, ... widziałeś, kiedy byłeś u mnie w tamtym tygodniu.

2. Portal, w .... próbuję znaleźć tę informację, jest niedostępny.

3. To witryna, ... interesują się moje dzieci.

4. To jest strona, na .... mogę szukać potrzebnych mi informacji.

4 Proszę połączyć czasowniki z kolumny po lewej stronie z rzeczownikami po prawej:

1. wyświetlać   a) pliki dźwiękowe
2. szukać   b) witryny
3. oglądać   c) strony internetowe
4. zapamiętywać   d) informacji
5. nagrywać   e) dane

5 Proszę napisać, co to jest:

√twardy dysk   edytor tekstu
nagrywarka   wyszukiwarka

0. ...Twardy dysk... służy do zapisywania i przechowywania danych.

1. .... służy do nagrywania plików.

2. .... służy do wyszukiwania informacji.

3. .... służy do pisania tekstu.

6 Proszę uporządkować chronologicznie następujące czynności:

- [ ] a) włączać komputer
- [ ] b) wyłączać komputer
- [ ] c) wchodzić do Internetu
- [ ] d) wychodzić z Internetu
- [ ] e) wyszukiwać interesujące nas informacje
- [ ] f) kopiować informacje
- [ ] g) drukować tekst
- [ ] h) zamykać stronę

CD 32

7 Proszę przeczytać tekst z ćwiczenia 2a w podręczniku, następnie wysłuchać nagrania i porównać wypowiedzi. W każdej znajduje się szczegół, który odróżnia tekst i nagranie. Proszę je odnaleźć.

1. ....
2. ....
3. ....
4. ....
5. ....
6. ....
7. ....
8. ....

☐ 1. **Olimpiada w Internecie**

☐ 2. Coraz więcej e-kupujących

☐ 3. **Partner z kosmosu**

a)

27.02.2004 13:10

Z badania Interbus, przeprowadzonego przez TNS OBOP, wynika, że od maja 2003 roku coraz częściej dokonujemy zakupów za pośrednictwem Internetu. Rekordowy odsetek internautów dokonujących zakupów on-line odnotowano w listopadzie 2003 roku, kiedy to wskaźnik osiągnął 22%. W styczniu 2004 roku ustabilizował się na poziomie 20%.

Towarem najczęściej kupowanym przez Internet są książki – kupiło je 32% internautów, którzy robią zakupy w sieci. Ponadto drogą elektroniczną chętnie kupujemy także sprzęt elektroniczny i elektryczny (22%), ubrania (18%), sprzęt komputerowy (14%) oraz muzykę/płyty kompaktowe (13%).

Badanie zostało przeprowadzone w 2003 roku przez TNS OBOP na reprezentatywnej próbie mieszkańców Polski powyżej piętnastego roku życia. W sumie w trzynastu falach udzielono 13 060 wywiadów.

(TNS OBOP)

b)

04.03.2004 13:58

W sieci pojawił się nowy serwis internetowy o tematyce sportowej, specjalnie przygotowany w związku ze zbliżającymi się Igrzyskami Olimpijskimi w Atenach. Patronem olimpijskich stron jest sponsor polskiej reprezentacji – PKO Bank Polski. Przy tworzeniu portalu po raz pierwszy wykorzystano nowatorską formę sponsoringu on-line.

Pod adresem www.sport.pkobp.pl internauci będą mogli znaleźć aktualne wiadomości sportowe, informacje dotyczące samej olimpiady oraz sylwetki najlepszych sportowców. Współautorem serwisu jest agencja HYPERmedia. Dla fanów sportu przygotowano obszerny serwis informacyjny wraz z aktualnymi wynikami, medalami, nominacjami olimpijskimi oraz sylwetkami sportowców. Ponadto na stronie prezentowane są wybrane produkty PKO Banku Polskiego. Wszyscy odwiedzający olimpijskie strony www mogą ściągnąć na swój komputer tapety i wygaszacze ekranu lub zasubskrybować newsletter z najnowszymi informacjami sportowymi. Specjalny zegar odlicza czas pozostały do rozpoczęcia olimpiady. Na stronie przedstawiane są również ciekawe konkursy PKO BP. Pierwszy z nich zachęca do stworzenia autorskiej wersji plakatu olimpijskiego.

04.03.2004 13:55

W polskiej sieci pojawił się nowy, nietypowy serwis internetowy. Umożliwia on internautom dobór partnerów życiowych na podstawie tzw. kosmogramów. Kosmogram urodzeniowy, opracowany na podstawie daty, godziny i miejsca urodzenia, jest symboliczną mapą ludzkiej psychiki.
Kosmogramy można zamawiać w paru wersjach, różniących się stopniem szczegółowości oraz ujęciem zagadnień dotyczących wzajemnych relacji. Pierwsza wersja odpowiada na dwa pytania – na jaką sferę życia osoby pytającej partner będzie wywierał najkorzystniejszy wpływ oraz czy i w jakiej dziedzinie mogą pojawić się ze strony partnera przeszkody i utrudnienia. Druga wersja przedstawia opis najistotniejszych wpływów, jakie będzie wywierał partner na osobę pytającą oraz ocenę czterech istotnych płaszczyzn ich życia. Trzecia – najbogatsza – dokładnie charakteryzuje relacje pomiędzy partnerami ze wskazaniem czynników dominujących i oceną harmonii na czterech istotnych płaszczyznach ich współżycia.
Ceny kosmogramów kształtują się odpowiednio: 10,98 zł; 29 zł i 49 zł brutto.
Opisywany serwis znajdziesz na stronie www.partnerzy.z.kosmosu.pl

c)

www.interia.pl

8b Proszę podkreślić właściwą odpowiedź.

1. Tekst pierwszy mówi o tym, że najwięcej kupujemy w Internecie:
   a) <u>książek</u>
   b) płyt CD
   c) żywności
2. Tekst pierwszy mówi o tym, że najwięcej internautów kupujących on-line było:
   a) w listopadzie 2003 roku
   b) w grudniu 2003 roku
   c) w styczniu 2003 roku
3. Tekst drugi informuje o tym, że:
   a) powstał nowy portal internetowy poświęcony tematyce sportowej
   b) powstał nowy portal internetowy poświęcony tematyce bankowej
   c) powstał nowy portal internetowy poświęcony agencji HyperMedia
4. Tekst drugi informuje, że na stronach nowego portalu będzie można przeczytać o:
   a) fanach sportu, meczach i spotkaniach ze sportowcami
   b) olimpiadzie, sylwetkach sportowców i aktualnych wydarzeniach
   c) różnych formach sponsoringu
5. Tekst trzeci informuje o:
   a) serwisie internetowym poświęconym wiadomościom z kosmosu
   b) serwisie internetowym poświęconym przepowiedniom
   c) serwisie internetowym poświęconym poszukiwaniu partnera
6. Opracowanie kosmogramu jest możliwe, jeśli podamy:
   a) cechy charakteru partnera
   b) datę, godzinę i miejsce urodzenia
   c) numer karty kredytowej

● ● **Gramatyka**

1 **Proszę wstawić właściwą formę rzeczowników i przymiotników podanych w nawiasach:**

a) Protestuję przeciw

.... (praca w niedzielę)

.... (oglądanie meczu)

.... (zwolnienie z pracy)

.... (nocne wyjście dziecka)

.... (wysokie ceny)

.... (alkoholizm)

.... (centra handlowe)

b) To jest magazyn poświęcony

.... (motoryzacja)

.... (przyroda)

.... (edukacja)

.... (historia)

.... (kultura)

.... (sprawy społeczne)

.... (problematyka polityczna)

2 **Proszę ułożyć zdania.**

1. Protestuję, przeciw temu, żeby
2. To skandal, że
3. Jasne jest, kto
4. Nie zgadzam się z tym, że
5. To niedopuszczalne, żeby
6. Wiadomo, że
7. Nie akceptuję tego, że
8. Pytam, czy
9. Proponuję, żeby

a) on wciąż pracuje w naszej firmie.
b) czasopisma dla kobiet są głupie.
c) decyduje o profilu tego pisma.
d) on miał tak duży wpływ na kształt gazety.
e) jeden człowiek decydował o wszystkim.
f) pornografia jest dostępna dla dzieci.
g) kto ma pieniądze, ten ma władzę.
h) przestać strajkować.
i) warto protestować.

3a **Proszę wysłuchać opinii pięciu osób i zdecydować, co wybiorą:**

CD 33

	wypowiedź 1	wypowiedź 2	wypowiedź 3	wypowiedź 4	wypowiedź 5
a) „Politykę"	☐	☐	☐	☐	☐
b) „Elle"	☐	☐	☐	☐	☐
c) „Architekturę"	☐	☐	☐	☐	☐
d) „Gazetę Wyborczą"	☐	☐	☐	X	☐
e) „Tylko Rock"	☐	☐	☐	☐	☐

3b **Jak się nazywa gazeta, która wychodzi:**

a) codziennie: ....
b) co tydzień: ....
c) co miesiąc: ....
d) co kwartał: ....

Słownictwo ●

dziennik   miesięcznik   kwartalnik   tygodnik

4 Proszę przeczytać następującą recenzję i odpowiedzieć na zamieszczone pod tekstem na pytania:

Przyjaciele Kutza

Kazimierz Kutz, *Portrety godziwe*

Wprawdzie we wstępie Kazimierz Kutz zauważa ironicznie, iż „wyawansował się" na autora portretów trumiennych swych przyjaciół, ale, jak przekonamy się przeczytawszy choć jeden rozdział, jego portrety nie mają nic wspólnego z ową polską malarską tradycją. W *Portretach godziwych* uznany reżyser pisze o zmarłych tak samo jak o żywych. Barwnie i dowcipnie. Są to wspomnienia o śląskich krajanach oraz ludziach, z którymi stykał się w pracy zawodowej, którzy „wyrastali ponad przeciętność i pozostawili po sobie trwały ślad...".

Pierwsze wspomnienia zawodowe dotyczą pracy w charakterze asystenta reżysera na planie *Pokolenia* Andrzeja Wajdy w połowie lat 50. W filmie grali m.in. Tadeusz Łomnicki i Zbigniew Cybulski. Obu poświęca Kutz osobne rozdziały. Przyjaźń z Łomnickim rozpoczęła się od awantury podczas kręcenia jednej ze scen, potem była trwająca dwadzieścia lat przerwa, później znowu pracowali razem w teatrze i telewizji. Kutz pisze o aktorstwie Łomnickiego z prawdziwym uwielbieniem. Nie każdy reżyser tak potrafi. Wydawało się, że nie da się już nic zaskakującego napisać o Zbigniewie Cybulskim, a tymczasem Kutz kreśli sylwetkę człowieka, o którym naprawdę niewiele wiemy. Legendarny Maciek Chełmicki z *Popiołu i diamentu* to we wspomnieniach Kutza trochę wędrowiec, trochę harcerz, kowboj, ale i kloszard. Czasem przypominał mu Charliego Chaplina. „Niewiele osób zauważyło – pisze Kutz – że siłą motoryczną Zbyszka był lęk".

Kutz potrafi jednym krótkim zdaniem, jedną anegdotą doskonale scharakteryzować postać. (...) O Kalinie Jędrusik: „Kalina nigdy nie robiła wrażenia, by kiedykolwiek mogła być dziewicą". O Stanisławie Dygacie: „Myślę, że poza kinem amerykańskim jedyną sprawą, która go nie nudziła, była przyjaźń, tę uprawiał może półprofesjonalnie".

W zbiorze nie mogło zabraknąć sylwetek ludzi ze Śląska, poczynając od Wojciecha Korfantego, kończąc na Edwardzie Gierku, którego Kutz nazywa „Towarzyszem Samurajem". Jak zawsze ciepło wspomina Jerzego Ziętka, „człowieka, któremu się udało". Zresztą reżyser jest dumny ze wszystkich ziomków, którym się powiodło. 75. rocznica urodzin Kazimierza Kutza jest dobrą okazją, żeby ogłosić, iż on sam jest człowiekiem ze Śląska, któremu się udało. Osiągnął bardzo wiele jako reżyser (także w teatrze), od pewnego czasu piastuje urząd senatorski, robiąc to z właściwym sobie wdziękiem i dowcipem, co nie znaczy, że mniej serio niż inni. Podobnie jak bohaterowie jego *Portretów* umie żyć, ceni przyjaźń i na pewno zostawia po sobie ślad. Także swą ostatnią, świetnie napisaną książką. To wcale nie laurka z okazji urodzin. To szczera prawda i tylko prawda.

Zdzisław Pietrasik

Kazimierz Kutz, *Portrety godziwe*, Kraków 2004

0. Czy we wstępie jest informacja o autorze? O genezie napisania książki?   (tak)/ nie

1. Czy autor recenzji przedstawia problematykę książki?   tak / nie

2. Czy autor przedstawia sylwetki ludzi nieznanych?   tak / nie

3. Czy autor recenzji pisze o języku, stylu?   tak / nie

5 Proszę przeczytać fragment artykułu *Kup sobie czytelników* i powiedzieć, czy zdania poniżej są prawdziwe (P) czy nieprawdziwe (N).

Kup sobie czytelników

W gazetach czytelnicy coraz częściej natrafiają na teksty reklamowe, które w niczym nie przypominają komercyjnych ogłoszeń. Zdarzają się tam apele o pokój na świecie, (...) polemiki i opinie. W ten sposób rodzi się nowe medium, dostępne jednak tylko dla tych, których stać na wykupienie w piśmie miejsca. Proceder przybiera na sile. Ostatnio przyłączyła się do niego Polska Agencja Prasowa.

(...)

Gazety odmawiają na ogół publikowania ogłoszeń o treści politycznej niezgodnych z ich linią. Ale gdy w grę wchodzą duże pieniądze, spuszczają z tonu. Tuż przed wybuchem wojny z Irakiem, gdy większość polskich gazet całym sercem popierała plany USA, pewien amerykański lekarz postanowił przeprowadzić krucjatę o światowym zasięgu pod hasłem: „Precz z wojną w Iraku"(...)

Całostronicowe ogłoszenia zamieścił „New York Times", a w Polsce między innymi „Trybuna" i „Gazeta Wyborcza", która na kolumnach redakcyjnych konsekwentnie popierała prowojenną politykę prezydenta Busha. – Jako czytelnik nie posiadałbym się ze zdumienia, widząc takie ogłoszenie – mówi profesor Wiesław Godzic, prasoznawca z Wyższej Szkoły Psychologii Społecznej w Krakowie – każda gazeta powinna mieć ideologię, z którą czytelnicy powinni się identyfikować, musi być opiniotwórcza, o coś walczyć (...). Nie wyobrażam sobie, żeby na przykład „Nasz Dziennik" nagle miał przez jakieś ogłoszenia agitować za ustawą aborcyjną.

– Na tym polega istota wolnego rynku – tłumaczy jednak Piotr Pacewicz, zastępca redaktora naczelnego – kto ma pieniądze, może sobie za nie kupić swobodę wypowiedzi. (...) My tylko pilnujemy, żeby nie było ono dla nikogo obraźliwe i nie zawierało szkodliwych treści.

Pacewicz przyznaje, że „Gazeta" otwarcie popierała interwencję Amerykanów w Iraku, ale dodaje: – Zawsze dbamy o pluralizm, więc zamieszczamy też wypowiedzi przeciwko wojnie. To dotyczy również ogłoszeń.

0. Teksty reklamowe nie są podobne do typowych komercyjnych ogłoszeń. ⓟ/ N
1. Nowe medium jest dostępne tylko dla bogatych. P / N
2. „Gazeta Wyborcza" konsekwentnie popiera politykę antywojenną. P / N
3. Gazeta powinna mieć ideologię, z którą czytelnik się identyfikuje. P / N

Trudne słowa i zwroty:
spuszczać z tonu – godzić się na coś, iść na kompromis
przybierać na sile – tu: być coraz bardziej widocznym, obecnym
nie posiadać się ze zdumienia – być bardzo zdziwionym

Wymowa

CD 34 **6** Proszę powtórzyć za lektorem.

CD 35 **7** Proszę wysłuchać wypowiedzi sześciu osób i zdecydować, przeciwko czemu protestują:

	1	2	3	4	5	6
a) przeciw korupcji	☐	☐	☐	☐	☐	☐
b) przeciw kupowaniu tekstów reklamowych	☐	☐	☐	☐	☐	☐
c) przeciw pornografii	☒	☐	☐	☐	☐	☐
d) przeciw narkotykom	☐	☐	☐	☐	☐	☐
e) przeciw przemocy w mediach	☐	☐	☐	☐	☐	☐
f) przeciw zwolnieniom z pracy	☐	☐	☐	☐	☐	☐

Kino czy telewizja?

1 Proszę połączyć elementy w zdania:

c	0. Wybieram małe kina, bo...
	1. Ponieważ lubię tę aktorkę,...
	2. Moim ulubionym reżyserem jest Polański, bo...
	3. Lubię filmy akcji i dlatego...

a) jego filmy mają szczególny klimat.
b) oglądam wszystkie filmy z nią.
c) proponują ambitniejszy repertuar.
d) często je oglądam.

Gramatyka ● ● ●

2 Proszę przekształcić zdania według wzoru:

0. Ponieważ był chory, nie przyszedł do pracy. *...Z powodu choroby nie przyszedł do pracy...*

1. Ponieważ padał deszcz, postanowił nie wychodzić z domu. ....

2. Ponieważ była brzydka pogoda, zdecydowali się pójść do kina, a nie na spacer.

   ....

3. Ponieważ miał zły humor, chciał obejrzeć jakąś komedię. ....

4. Ponieważ był zmęczony, nie poszedł na imprezę. ....

5. Ponieważ miał gorączkę, nie chciał wychodzić. ....

3 Proszę uzupełnić tekst odpowiednimi spójnikami:

> √ bo   dlatego, że   ponieważ   dlatego

Jana, Niemcy

Kiedy studiowałam slawistykę, zainteresowałam się polskim kinem.
Dlaczego? Sama nie wiem. Może *...dlatego, że...* były zupełnie inne niż
komercyjne produkcje, na które często chodziłam do kina. Zaczęłam
oglądać polskie filmy, ... namówiła mnie do tego moja
koleżanka, Polka. Obejrzałam kilka filmów Kieślowskiego i byłam
naprawdę zafascynowana, ... te filmy poruszały naprawdę
ważne tematy, jak samotność czy izolacja we współczesnym świecie.
Zaczęłam szukać kaset z polskimi filmami, potem zapisałam się na
kurs językowy do VHS i w końcu postanowiłam pojechać do Polski
na wakacje. Rok później zdecydowałam, że będę studiować reżyserię
w Łodzi. Moi rodzice byli bardzo zmartwieni moją decyzją, jednak
wyjechałam. Mogę powiedzieć, że zakochałam się w Kieślowskim
i .... mieszkam w Polsce.

4 **Na podstawie relacji w mowie zależnej proszę zrekonstruować dialog:**

Marek powiedział, żebyśmy poszli do kina. Odpowiedziałam, że dzisiaj nie mam czasu. Marek zapytał, czy będę miała czas w sobotę. Odpowiedziałam, że tak i zapytałam, na co pójdziemy. Marek powiedział, żebym się nie martwiła, bo on coś znajdzie. Powiedziałam, że jeśli mam pójść do kina, to muszę wiedzieć, na jaki film. Marek zapytał, czy chcę iść na komedię romantyczną. Powiedziałam, że nie lubię komedii romantycznych. Marek zapytał, na co chciałabym pójść. Powiedziałam, że chętnie obejrzę film przygodowy. Marek powiedział, że filmy przygodowe są dla dzieci i że nie znam się na dobrym kinie. Poprosiłam więc, żeby to on zdecydował, na jaki film pójdziemy. Marek powiedział, że może jednak lepiej będzie, jeśli pójdziemy do teatru, ale ja odpowiedziałam, że teatr jest nudny i że wolę kabaret. Marek zaproponował wtedy, żebym sama zdecydowała, gdzie pójdziemy w sobotę.

Marek: *Chodźmy do kina!* ....
Ja: ....
Marek: ....
Ja: ....
Marek: ....
Ja: ....
Marek: ....
Ja: ....
Marek: ....
Ja: ....
Marek: ....
Ja: ....
Marek: ....
Ja: ....
Marek: ....

CD 36 **5** **Proszę wysłuchać nagrania, a następnie uzupełnić wypowiedzi:**

Adam

Kino czy telewizja? .... telewizja. Nie mam czasu chodzić do kina. W telewizji jest większy .... programów: publicystyczne, sportowe, seriale. Lubię oglądać sitcomy i programy .... albo filmy. W telewizji mam wybór. Mogę obejrzeć film .... lub komercyjny, mogę też leżeć na .... i pić herbatę. W sali kinowej jest zimno.

Bogna

Kino czy telewizja? Zdecydowanie kino. Nie oglądam telewizji i nie lubię, kiedy mój mąż zmienia ciągle .... W telewizji nic nie ma, tylko głupie .... albo reality-show. Lubię filmy w wersji oryginalnej, z ...., nie lubię dubbingu ani lektora. Informacje? Programy informacyjne w telewizji nie są dobre, choć czasami można obejrzeć dobre programy .... Programy rozrywkowe są na bardzo niskim .... Wolę słuchać informacji w radiu albo czytać gazety.

Cecylia

Kino czy telewizja? .... Od czasu do czasu chodzę do kina na dobry film w .... oryginalnej. Kiedy jestem zmęczona, ... telewizor i oglądam jakiś .... film albo serial. Lubię też filmy przyrodnicze. A kiedy program jest nudny, po prostu wyłączam telewizor. Natomiast w kinie wybieram tylko ambitny repertuar, nie .... komercji i tandety.

● Słownictwo

6 Proszę napisać, jak nazywa się program, który porusza podaną w tabeli tematykę:

> ✓ *film fabularny   serial   program dla dzieci   program rozrywkowy   program informacyjny
> sport   program publicystyczny   program przyrodniczy*

0. komedia romantyczna, thriller, film obyczajowy .... *film fabularny* ....

1. wiadomości ....

2. bajka, kreskówka, film animowany ....

3. program o tematyce społecznej ....

4. liga mistrzów, piłka nożna, boks ....

5. film, który jest wyświetlany w odcinkach raz lub kilka razy w tygodniu ....

6. życie zwierząt, natura ....

7. teleturniej, benefis, talk-show ....

● Gramatyka

7 Proszę uzupełnić zdania czasownikami z tabeli:

mówić / powiedzieć słyszeć / usłyszeć	**że**
namawiać / namówić mówić / powiedzieć prosić / poprosić	**żeby**
pytać / zapytać	**czy**

a) Jan ... *powiedział* ..., że jest zmęczony i ...., czy może już iść. Maria zaprotestowała. (ona) ...., że powinien jeszcze przeczytać recenzję ostatniego filmu. (ona) .... Jana, żeby zobaczył przynajmniej, czy jest dobra czy zła. Jan ...., żeby pozwoliła mu wyjść, bo nie miał już siły, żeby czytać cokolwiek.

b) Szef ...., czy mogłabym sprawdzić repertuar teatrów, bo chciał zaprosić swoją żonę na jakiś spektakl. (ja) ...., żeby poszli lepiej do kina, (ja) ...., że grają bardzo dobry dramat psychologiczny.

c) Nie chciałem iść do kina, ale moja żona .... mnie tak bardzo, że w końcu (ja) ...., że się zgadzam, ale tylko na coś rozrywkowego. (ja) ...., czy może to być coś z Jerzym Stuhrem, bardzo lubię tego aktora, jego obecność gwarantuje dobrą zabawę na ekranie.

d) Oglądaliśmy telewizję. Mój mąż ...., żebyśmy zmienili kanał. (ja) ...., dlaczego, w końcu film był interesujący. (ja) ...., czy jest coś innego, co musi oglądać akurat teraz. .... mnie, żebym pozwoliła mu obejrzeć mecz.

8 Proszę przeczytać fragmenty artykułu *Powrót propagandy* i dopasować podtytuły do części tekstu.

☐ a) Dla „Gazety" Erik Gandini, włoski dokumentalista mieszkający w Szwecji

☐ b) Spirala konsumpcji prowadzi donikąd

☐ c) Język nowego dokumentu

☐ d) Najbardziej znane filmy „propagandowe"

☐ e) „Komedie dokumentalne" Michaela Moore'a

☐ f) Obiektywizm – nie, kontrowersyjność – tak

☐ g) Film dokumentalny jak spot reklamowy u Erika Gandiniego

Powrót propagandy

1

Konsumpcja stała się nową ideologią – mówią zagorzali krytycy obecnej cywilizacji, anty- i alterglobaliści. Nowa propaganda wciska przechodniowi wizję szczęścia, której on wcale nie potrzebuje. Anty-globaliści twierdzą, że spirala konsumpcji prowadzi donikąd – niszczy środowisko, nie poprawia bytu ubogiej części świata i demoralizuje bogatą. Rezultatem tego antykonsumpcyjnego fermentu są radykal-ne filmy dokumentalne, które zaczynają trafiać również do Polski.

2

O tym, że są rozumiane i akceptowane, świadczy powodzenie filmu Erika Gandiniego *Nadprodukcja. Terror konsumpcji* na nie-dawno zakończonym warszawskim przeglądzie Warsaw Doc Re-view. Dla Michaela Moore'a, twórcy nagrodzonego Złotą Palmą w Cannes *Fahrenheit 9/11*, przeciwnikiem groźniejszym niż terroryzm i fundamentalizm są wielkie korporacje. To one – przekonuje w swoim filmie – są odpowiedzialne za wojnę w Iraku.

(...) Nowy dokument wyraża się językiem gwałtownym. Jest to język propagandy i reklamy użyty przeciw reklamie (jak w przypadku Gandiniego) i przeciw propagandzie (w przypadku Moore'a). Realizatorzy tych filmów stosują komentarz, którego unikali jak ognia dokumentaliści lat 60. i 70. Nie boją się krzy-czeć, bo wiedzą, że i tak nie przekrzyczą mediów. Nie boją się wyrazistości, świadomego uproszczenia, ponieważ jest ono powszechną tendencją. Prowadzą widza za rękę, mając świadomość, że w rzeczywi-stości jest on również manipulowany, tyle że w inny, subtelniejszy (...) sposób.

3

(...) Obowiązujący w mediach obiektywizm, niepozwalający na wy-rażanie zbyt radykalnych poglądów, nie jest w cenie u autorów tych dokumentów. Michael Moore nie chce uchodzić za kogoś obiektyw-nego, jego bronią jest kontrowersyjność. W baseballowym kaszkiecie na głowie, wystylizowany na prostego człowieka z Michigan, którym zresztą jest, wkracza z kamerą do zakłamanego świata polityki, korporacji i skorumpowanych mediów, żeby zrobić porządek. Oto bohater nowego dokumentu – człowiek spoza systemu odczuwający nienormalność świata.

4

Swoje filmy nazywa „komediami dokumentalnymi". Pierwszą nakrę-
cił w 1989 roku. Nazywała się *Roger i ja* i miała podtytuł: *Jak kor-
poracja General Motors niszczy Flint w stanie Michigan*. Roger to
imię szefa korporacji, którego Moore przez trzy lata prześladował
z kamerą za to, że w jego rodzinnym miasteczku masowo zwalniał
ludzi z zakładów. Teraz Moore prześladuje prezydenta Busha za to,
że doprowadził do wojny w Iraku.

5

6

„Nie staraj się być realistyczny ani neutralny!" – głosi w manifeście
nowego dokumentu Gandini. Gdyby ktoś znienacka trafił na jego
film w telewizji, w pierwszej chwili mógłby pomyśleć, że włączył kanał reklamowy, ofertę zakupów.
Pseudoreklamowe ujęcia zderzone ze scenami walk ulicznych
w Genui podczas manifestacji alterglobalistów kojarzą się z rewolu-
cyjnym kinem sprzed 80 lat: *Strajkiem*, *Pancernikiem Potiomkinem*
Eisensteina, z sekwencją masakry na schodach odeskich. Oczywiście, Gandini nie wierzy w XX-wieczne krwawe rewolucje – daje
tego dowód, włączając do filmu sceny z Kuby, świata bez rynku,
gdzie ludzie marzą o McDonaldzie.

7

Nie jestem pustelnikiem, ale nigdy nie znosiłem supermarketów. Ile razy tam wchodzę, skacze mi
ciśnienie (...). Przez lata myślałem, że coś ze mną nie tak. Z czasem zrozumiałem, że poczucie wyob-
cowania w społeczeństwie konsumpcyjnym jest nieuniknione. Myślę, że gniew wobec konsumeryzmu
jest czymś zdrowym. Jeżeli będziemy go w sobie podtrzymywać, może się to przyczynić do urato-
wania świata. W *Nadprodukcji...* chciałem odtworzyć proces emocjonalny, który zachęca ludzi do
konsumpcji. Piękne, radosne obrazy mówią mi: kup tę rzecz, ona cię uszczęśliwi – ale ja nie czuję się
od tego szczęśliwszy. Używam estetyki reklamy, aby powiedzieć coś odwrotnego. Moja polska przyjaciółka mieszkająca w Szwecji mówi, że to jej przypomina dawną antyzachodnią propagandę. Mój
gniew wynika jednak z tego, że większość życia spędziłem w kraju tak bardzo turbokapitalistycznym,
hipermaterialistycznym i paranoidalnym, jakim są Włochy. Mój główny wróg to nuda kina społecznego, politycznego, humanistycznego. Nie mogę patrzeć, jak o najważniejszych sprawach tego świata
opowiada się (...) bez narracyjnego nerwu, a najwyższej artystycznej pomysłowości i profesjonalizmu
używa się do tego, żeby sprzedać szampon.

9 Proszę wysłuchać trzech dialogów, a następnie zrelacjonować wypowiedzi poszczególnych osób.

CD
37

Sytuacja 1: ....*Jan zapytał Annę, czy chce pójść z nim do kina. Ona chciała wiedzieć*..

....

....

Sytuacja 2: ....

....

....

Sytuacja 3: ....

....

....

1 Proszę opisać swoje ulubione święto religijne, święto państwowe lub uroczystość, którą pamięta Pan / Pani z dzieciństwa.

● Gramatyka

2 Proszę zamienić mowę zależną na niezależną.

0. Pola zapytała, czy mam czas.   *Czy masz jutro czas?* ....

1. Rodzice powiedzieli, że wyjeżdżamy na weekend. ....

2. Jaś odpowiedział, że nie może mi pomóc. ....

3. Karolina poprosiła, żebyśmy przyszli do niej do szpitala. ....

4. Marek zapytał, dlaczego Kasia jest smutna. ....

5. Renata życzyła babci, żeby była zawsze zdrowa. ....

6. Mirek zapytał, jak się bawiłam w Sylwestra. ....

7. Koledzy zaproponowali, żebyśmy poszli do kina. ....

8. Koleżanki powiedziały, że muszą już iść. ....

9. Hania pytała, czy może pożyczyć ode mnie książkę. ....

3 Proszę uzupełnić zdania za pomocą zaimka *który*.

0. Chrzciny to uroczystość, ...*która*...... zawsze odbywa się w kościele.

1. Pisarz, o .... niedawno ci mówiłem, właśnie dostał Nagrodę Nike.

2. Gdzie jest ta gazeta, ... dałem ci wczoraj?

3. Czy ten mężczyzna, ... spotkaliśmy wczoraj, jest bratem twojego męża?

4. Nie wiem, o .... filmie mówisz.

5. Czy to jest ta dziewczyna, z .... byłeś na imprezie?

6. Osoba, ... ufałam, ostatnio bardzo mnie rozczarowała.

7. Widziałaś ten program, w .... pokazywali nasz uniwersytet?

8. Polityk, ... wszyscy wierzyli, został wczoraj aresztowany.

4 *Że czy żeby?* Proszę uzupełnić teksty.

1. Dowiedziałam się, ...*że*.... do naszego miasteczka przyjedzie znany polski aktor. Postanowiłam pójść na dworzec, ... dostać autograf. Dwie godziny stałam na peronie, ... go zobaczyć. Wiedziałam, ... będzie dużo ludzi, ale nie myślałam, ... aż tyle! Kiedy w końcu udało mi się go zobaczyć, byłam zdziwiona, ... nie wygląda tak dobrze, jak na ekranie!

2. To skandal, ... dzieci mają dostęp do Internetu! Uważam, ... rodzice nie powinni się na to zgadzać. Kiedy moja córka poprosiła, ... kupić jej komputer, powiedziałem zdecydowanie NIE! Wszyscy wiedzą, ... Internet jest szkodliwy. Zawsze mówię moim znajomym, ... uważali na to, co robią ich dzieci. Kiedy moja córka musi czegoś poszukać w sieci, idę z nią do kawiarni internetowej i cały czas ją kontroluję, ... nie wchodziła na niebezpieczne strony.

5 Proszę dopasować tytuły do podanych niżej fragmentów artykułów.

☐ a) **W tym tygodniu polecamy**

☐ b) **Dyskretny urok przedmiotu**

☐ c) **Wesele w sieci**

☐ d) **Jest szansa**

1. ....

W styczniu ruszył pierwszy w Polsce sklep internetowy z akcesoriami niezbędnymi do tego, aby powiedzieć sobie sakramentalne „tak". Można więc zamówić suknie, garnitur, kwiaty, tort, a nawet zamówić gości! Nie, to wcale nie żart: za pośrednictwem witryny kontaktujemy się z agencją, która zajmuje się wynajmowaniem znanych artystów na tego typu imprezy. Jeśli młoda para dysponuje odpowiednią sumą pieniędzy, może poprosić o pokrojenie tortu samego sir Eltona Johna!

www.weselewsieci.pl

2. ....

Szkarłatny habit to kontynuacja znakomitej powieści *Szerokiej drogi*, *Anat*, sensacyjnego debiutu Irka Grina. Tym razem akcja toczy się równolegle w wieku XVII i współcześnie. W przeszłości dwóch jezuitów zostaje wysłanych przez generała zakonu z tajną misją do Polski. Wiozą tajemniczy podarunek dla polskiego króla.

www.merlin.pl

3. ....

Okazuje się, że istnieje pewna niewielka szansa na utrzymanie podatku VAT na poziomie 7 procent (ewentualnie na zwolnienie) na usługi internetowe.

www.x86.p

4. ....

Ostatnio najmodniejszy jest pewien złoty pierścień – gdy wrzucić go do ognia, jak to czyni Gandalf (Ian McKellen), pojawia się na nim napis w języku Mordoru. „Mój skarbie" – wzdycha do tej błyskotki Gollum. Hobbit Bilbo Bagins (Ian Holm) nosi go w kieszonce czerwonej kamizelki. Podczas przemowy na swych 111 urodzinach wkłada go na palec i... znika.

www.gazeta.pl

6 Proszę powiedzieć, który z powyższych artykułów prasowych:

a) Informuje o tym, że prawdopodobnie nie trzeba będzie płacić więcej za dostęp do Internetu.
b) Mówi o tym, że ludzie mogą korzystać z usług agencji organizującej śluby.
c) Opowiada o pewnej popularnej produkcji filmowej.
d) Zachęca do przeczytania pewnej książki.

7 Proszę wysłuchać nagrania, a następnie odpowiedzieć na pytania:

1. Kto ma problem z komputerem?
2. Które urządzenie nie działa?
3. Dlaczego urządzenie nie działa?

TEKSTY
nagrań

6 Proszę wysłuchać następujących opisów i powiedzieć, czy opinia na temat tych osób jest pozytywna czy negatywna.

a) To bardzo sympatyczny chłopak. Miły i koleżeński.
b) Nie lubię tych ludzi. Są aroganccy i konfliktowi.
c) Każdy ją lubi. Jest inteligentna i pracowita. Zawsze można na nią liczyć.
d) Ma charyzmę.
e) Są bardzo ambitni. Zawsze przygotowani do lekcji. Dobrze się pracuje z tymi studentami.
f) Są trudni i zamknięci w sobie. To nie są ludzie, którzy mnie fascynują.

9 Proszę powtórzyć za lektorem.

– Nie masz racji, to jest naprawdę świetna dziewczyna!
– Masz rację, to jest naprawdę świetna dziewczyna!

– Masz rację, ona jest super!
– Masz rację, ona jest okropna!

– Trudno powiedzieć coś złego o Magdzie, to naprawdę miła dziewczyna.
– Trudno powiedzieć coś dobrego o Magdzie, to bardzo niekoleżeńska dziewczyna.

– Nie rozumiem, dlaczego krytykujesz Pawła, to bardzo niezależny chłopak!
– Rozumiem, dlaczego krytykujesz Pawła, to bardzo niezależny chłopak!

– Adaś wygląda na bardzo inteligentne dziecko.
– Adaś wygląda na mało inteligentne dziecko.

– To bardzo kontrowersyjny artysta.
– To bardzo kontrowersyjny artysta.

– Ta dziewczyna mnie irytuje.
– Ta dziewczyna mnie nie irytuje?

– Denerwuje mnie ten człowiek.
– Denerwuje cię ten człowiek?

– Nie zgadzam się z tobą, on nie jest zarozumiały, chociaż wygląda na osobę pewną siebie.
– Zgadzam się z tobą, on jest zarozumiały, chociaż nie wygląda na osobę pewną siebie.

– Ta dziennikarka rzeczywiście bywa niemiła dla swoich rozmówców.
– Ta dziennikarka rzeczywiście jest niemiła dla swoich rozmówców.

6 Proszę przeczytać tekst z ćwiczenia 2a z podręcznika, następnie wysłuchać wypowiedzi czterech osób i zdecydować, kim są i czy mają podobne opinie o pracy.

1.
Praca Lilki jest stresująca, ale nie monotonna. Musi być punktualna i oczywiście świetnie zorganizowana. Prowadzi mój kalendarz spotkań i korespondencję. To odpowiedzialna praca, jej pomyłka może kosztować firmę dużo pieniędzy.
Jest w pracy około 9.00, czyta korespondencję, przygotowuje terminarz spotkań, odpowiada na listy, odbiera telefony i tak dalej. Koło 14.00 ma przerwę na obiad. Kończy pracę o 18.00, a czasem o 20.00 wieczorem. Kawa? Kawę robię ja! Jestem mistrzem cappucino!
Lilka ma dość niską pensję, ale jest jeszcze młoda.
Zwykle ma dwa tygodnie urlopu w lecie i tydzień zimą. Ale terminy musi negocjować dużo, dużo wcześniej. Chyba lubi swoją pracę bo ma kontakt z ludźmi, czasem jeździ za granicę, ma dobrego szefa...

2.
Praca Mateusza jest jego pasją. Ale myślę, że to nie jest normalne, Mateusz jest pracoholikiem, Mateusz pracuje 24 godziny na dobę. Pisze programy dla różnych firm, ale nie ma nigdzie etatu. Najczęściej pracuje przez całą noc, a w dzień śpi. Zarabia między 3 tys. a 6 tys. na miesiąc, to zależy od klientów.
Niestety na urlop nie jeździmy razem, Mateusz co roku wyjeżdża z kolegami na narty, a my z córką jeździmy nad morze. Święta zawsze spędzamy razem, chociaż wtedy Mateusz też pracuje...
Nie ma jeszcze własnego biura, pracuje w domu i trochę nam to przeszkadza, bo w całym domu leżą jego dokumenty...

3.
Jej praca jest ważna. Pracuje w szpitalu, czasem w nocy, w weekendy, w święta. Ma też prywatną praktykę, codziennie od 16.00 do 20.00.
Zarabia naprawdę nieźle jak na pediatrę i dlatego zawsze jeździliśmy na wakacje 2 razy w roku, w lecie nad wodę i zimą na narty.
Ona naprawdę kocha swoją pracę i my to rozumiemy, chociaż nie było nam łatwo, kiedy byliśmy mali, mamy ciągle nie było w domu.

4.
Jego praca jest chyba trudna – zarabia mało i nie wszyscy uczniowie go lubią, nie wszyscy się uczą systematycznie.
W szkole jest codziennie od 8.00 do 15.00, ale to nie koniec, wieczorami musi pracować w domu, dużo czyta, przygotowuje lekcje, sprawdza zadania.
Ma wakacje w lipcu i sierpniu i ferie w zimie, tak jak my i to jest chyba największa zaleta tej pracy.
Ludzie uważają, że praca nauczyciela jest łatwa, a to nieprawda.

8 Proszę wysłuchać nagrania. Które wypowiedzi odnoszą się do poniższych grup? Proszę wpisać numer.

1. Ci ludzie nie muszą wstawać codziennie rano. Pracują na własny rachunek, więc sami decydują, kiedy zaczynają i kiedy kończą pracę. Wszystko zależy od ich kreatywności.

Ale i w tej grupie są przypadki ludzi, którzy codziennie rano siadają do komputera, żeby napisać chociaż kilka linijek tekstu.

2. Ci ludzie nie muszą wstawać codziennie rano. Mają zajęcia o różnych godzinach. Często bardzo późno. Niektórzy łączą naukę z pracą.

3. Ci ludzie nie muszą wstawać codziennie rano. Często jednak muszą wstawać w nocy. Zależy to od tego, czy mają wezwanie do pacjentów. Często również pracują w nocy. Pracują na etacie albo, gdy mają swój gabinet, mogą pracować na własny rachunek.

lekcja 3

6 Proszę wysłuchać nagrania i zaznaczyć, czy słyszymy czasowniki w aspekcie dokonanym czy niedokonanym:

a) Urodziłem się dwadzieścia lat temu w Krakowie.
b) Nie wiedziałam, że się przeprowadziłeś!
c) Tak wiele razy zmieniałam mieszkanie, że już mam dość!
d) Pracowałem już w tak wielu miejscach!
e) Co robiłam w Krakowie? Szukałam pracy.
f) Zaprosiłam dziś Piotra na kolację.

9 Proszę przeczytać tekst z ćwiczenia 2a z podręcznika, a następnie wysłuchać nagrania. Oba teksty różni 5 szczegółów. Proszę je odnaleźć.

Mój dziadek Antoni urodził się 12 kwietnia 1910 roku koło Wilna. Jego ojciec, znany inżynier i kolekcjoner sztuki, często wyjeżdżał za granicę. Mieszkali w pięknym, dużym domu z ogrodem, gdzie co tydzień matka organizowała bale. W takiej atmosferze wychowywał się mały Antoni.

Mój dziadek chodził do szkoły w Wilnie, ale potem wyjechał do Warszawy, gdzie studiował prawo. Tam poznał moją babcię. W 1936 roku dostał stypendium we Francji. Prawie trzy lata mieszkał w Paryżu u swojej ciotki Wandy, siostry matki. Wrócił do Polski w 1939 roku i w lipcu ożenił się z moją babcią.

Moja babcia Maria urodziła się 4 października 1917 roku w Warszawie. Jej rodzice rozwiedli się kiedy miała 2 lata. 14 lat później jej matka wyszła za mąż za bogatego producenta kapeluszy. Babcia wyprowadziła się z domu. Najpierw była nauczycielką, potem dostała pracę w kancelarii znanego, warszawskiego adwokata. Tam poznała mojego dziadka.

Moi dziadkowie pobrali się w lipcu 1939 roku, zaraz potem wybuchła wojna. Przez całą okupację mieszkali w Warszawie. Babcia uczyła muzyki, a dziadek nie pracował. 8 maja 1945 roku skończyła się wojna. Tego dnia babcia urodziła córeczkę, moją mamę.

Kilka lat po wojnie komuniści aresztowali mojego dziadka. Zmarł w więzieniu wiosną 1955 roku.

Moja babcia i mama zostały same. Przeprowadziły się do Krakowa, gdzie moja babcia dostała pracę jako sprzątaczka w szkole. Było im ciężko, babcia nie zarabiała dużo, mieszkały w obskurnym pokoiku na ulicy Smoleńsk, ale mama uczyła się dobrze i w 1963 roku zaczęła studiować polonistykę. Po studiach została na uniwersytecie i tam poznała mojego ojca.

Moi rodzice pobrali się w 1970 roku, zaraz potem urodził się mój brat. Oboje zaangażowali się w działalność opozycyjną. Kiedy 13 grudnia 1981 roku zaczął się stan wojenny, mama była w czwartym miesiącu ciąży. Mój ojciec wyjechał za granicę. Moja mama została sama.

Urodziłam się 8 maja 1982 roku, tak jak moja mama, tylko 37 lat później.

Teraz jestem już dorosła. Moja mama nadal pracuje na uniwersytecie, tata nadal angażuje się w politykę, a mój brat ożenił się i ma swoją firmę.

Babcia zmarła dwa lata temu. Nigdy nie wyszła po raz drugi za mąż.

4 lekcja

8 Proszę wysłuchać nagrania, a następnie zaznaczyć, czy w podanych wypowiedziach słyszymy obawę czy nadzieję:

a) Boję się, że nie zdam.
b) Na pewno wszystko pójdzie dobrze.
c) Nie boję się przyszłości. Jestem optymistą, chyba nie powinienem mieć problemów z pracą.
d) Może być trudno. Muszę być gotowy na wszystko. Trochę się martwię.
e) Mój syn jest optymistą, a ja trochę się martwię.
f) Mam nadzieję, że po maturze wyjadę.

10 Proszę wysłuchać wypowiedzi sześciu osób i uzupełnić tekst brakującymi wyrazami.

Młodzi i ich przyszłość

Piotr, absolwent informatyki: W tym roku skończyłem informatykę. Praca dla informatyków będzie zawsze.

Jan: Mój syn nigdy nie lubił w szkole przedmiotów ścisłych. Zawsze interesował się historią, poezją, językami. Kiedy powiedział mi, co będzie robić w przyszłości, nie protestowałem. Teraz trochę boję się, że będzie miał problemy na rynku pracy.

Marek, absolwent psychologii: Kiedy pięć lat temu przyszedłem do mojego instytutu byłem optymistą. Dzisiaj wiem, że nie jest tak łatwo. Na pewno będę długo szukać pracy. Moi koledzy mówią, że 6 – 8 miesięcy to minimum.

Maria: Moja córka zawsze była bardzo zdolna. Miała dobre oceny, wiedziałam, że będzie chciała studiować. Zawsze mówiłam, że medycyna to prestiż i uznanie. Ewa skończyła medycynę, dzisiaj ma trochę problemów z pracą, ale mam nadzieję, że ta sytuacja jest chwilowa...

Ewa, absolwentka medycyny: Moja mama zawsze chciała mieć córkę lekarkę. Moje studia to realizacja jej ambicji. Ja bardzo bałam się egzaminów, ale kiedy zdałam, byłam szczęśliwa. Dzisiaj próbuję dostać staż w szpitalu, ale jest to bardzo trudne. Boję się, że to początek moich problemów.

Helena: Mój syn zawsze mówił mi, że komputery to przyszłość. Chyba miał rację. Dzisiaj wszyscy pracują na komputerze, niedługo chyba dzieci w szkołach nie będą pisać długopisem. Nie boję się o to, co mój syn będzie robić. Na pewno praca będzie czekać na niego.

lekcja 5

3 **Proszę powtórzyć za lektorem.**

a)
– Lubisz Ewę?
– Dlaczego nie lubisz Ewy?

– Czy lubisz ludzi pewnych siebie?
– Jakich ludzi lubisz?

– Czy twoi przyjaciele są otwarci?
– Jacy są twoi przyjaciele?

– Czy lubisz swoją pracę?
– Dlaczego nie lubisz swojej pracy?

– Czy wstajesz wcześnie?
– O której wstajesz?

– Czy masz plany na wakacje?
– Jakie masz plany na wakacje?

– Byłeś kiedyś w Afryce?
– Kiedy byłeś w Afryce?

– Przyjechałeś na kurs?
– Dlaczego przyjechałeś do Krakowa?

b)
– Czy lubi pani Ewę?
– Dlaczego nie lubi pani Ewy?

– Czy lubią państwo ludzi pewnych siebie?
– Jakich ludzi państwo lubią?

– Czy pana przyjaciele są otwarci?
– Jacy są pana przyjaciele?

– Czy lubi pani swoją pracę?
– Dlaczego nie lubi pani swojej pracy?

– Czy wstaje pan wcześnie?
– O której pan wstaje?

– Czy mają państwo plany na wakacje?
– Jakie mają państwo plany na wakacje?

– Były panie kiedyś w Afryce?
– Kiedy były panie w Afryce?

– Przyjechali panowie na kurs?
– Dlaczego przyjechali panowie do Krakowa?

lekcja 6

14 **Proszę wysłuchać nagrania i zaznaczyć, w której wypowiedzi mówi się o podobieństwie, a w której o różnicy:**

a) On jest taki sam jak jego ojciec.
b) Moje miasto bardzo różni się od typowego miasta przemysłowego.
c) Ten budynek jest wyższy niż tamten.
d) Obydwie są niskie: i matka, i córka.
e) Ta część miasta w ogóle nie jest podobna do reszty.

16 **Proszę wysłuchać opisów czterech miast i dopasować do nich nazwy.**

a) 10 tysięcy mieszkańców. Największe centrum sportów zimowych w południowo-wschodniej Polsce. W sercu Bieszczadów. Życie kulturalne i intelektualne koncentruje się w Ośrodku Naukowo-Dydaktycznym Bieszczadzkiego Parku Narodowego. Pracownicy badają tu bieszczadzką przyrodę, kulturę i tradycję. Miasto ma chaotyczną zabudowę, ale warto zwiedzić synagogę z 1870 i cerkiew greckokatolicką z 1874 roku

b) Miasto w zachodniej Polsce, nad Wartą, 600 000 mieszkańców. Największy organizator targów w naszym kraju. Międzynarodowe Targi Poznańskie działają od 1931 roku. 15 000 wystawców prezentuje swoją ofertę dla 600 000 zwiedzających.

c) 260 000 mieszkańców, miasto na południu Polski. Największy w kraju ośrodek kultu religijnego. Sanktuarium Maryjne znajduje się na Jasnej Górze obok klasztoru Paulinów (XIV w.) i bazyliki (XVII w.).

d) 806 000 mieszkańców. Miasto w centralnej Polsce. Największy w kraju ośrodek przemysłu włókienniczego. Ponadto jest to centrum przemysłu odzieżowego, chemicznego, metalowego, elektrotechnicznego, papierniczego, spożywczego.

7 lekcja

6 **Proszę wysłuchać nagrania i zaznaczyć, która wypowiedź zawiera argumenty za, a która przeciw mieszkaniu na wsi:**

a) Na wsi jest lepiej: czyste powietrze, zdrowe jedzenie.
b) Z drugiej strony jest nudno i po dziesiątej nie ma nikogo na ulicy.
c) Wieś, to oczywiście wspaniałe miejsce dla dzieci.
d) Jest wspaniale, ale nie chcę tu mieszkać. Za daleko do lekarza, do urzędu, do pracy.

8 lekcja

6 **Proszę wysłuchać nagrania i zaznaczyć, które wypowiedzi poruszają poniższe problemy: rozwód, kłótnie o pieniądze, problemy z dzieckiem**

1. Kiedy urodziłam Mateusza, myślałam, że będę najszczęśliwszą kobietą na świecie. Niestety Mateusz dużo chorował, więc musiałam zrezygnować z pracy. Nie czułam się dobrze w roli żony i matki. Chciałam robić karierę. Mój mąż pracował, jego życie nie zmieniło się tak bardzo jak moje. Byłam sfrustrowana. Kłóciłam się z mężem, z moją mamą, z koleżankami. Kiedy Mateusz poszedł do szkoły, myślałam, że to koniec kłopotów. Mówi się, że dziecko w wieku szkolnym przestaje chorować. Tak, racja, ale nikt nie powiedział mi, że zaczynają się prawdziwe problemy z wychowaniem! Ci okropni koledzy, ich zabawy, ich język! Mój Mateusz był zafascynowany tym najgorszym! Zaczęły się złe oceny, telefony ze szkoły.

2. Nie mogę już dłużej żyć z tym człowiekiem. Wszystko, co było między nami, już się skończyło. Gdzie ja miałam oczy?

Co ja w nim widziałam? Jak mogłam wyjść za niego za mąż? Wczoraj powiedziałam mu, że chcę rozwodu. Zapytał tylko, czy jestem pewna. Tak, jestem.

3. Kiedy kończyłem studia, zapytałem Marię, czy będzie moją żoną. Myślałem: znajdę szybko pracę, za kilka lat kupimy mieszkanie, samochód... Niestety rzeczywistość jest bardzo brutalna. Od pół roku jestem bezrobotny, Maria pracuje w szkole na pół etatu. Brakuje nam pieniędzy na wszystko. Kłócimy się cały czas. O wszystko. Frustracja z powodu braku pieniędzy wychodzi z nas przy każdej okazji.

7 Proszę powtórzyć za lektorem.

a)
– Nie chcę żebyś wracał tak późno!
– Chcę, żebyś wracał wcześniej!

– Czy chcesz, żebym przyjechała?
– Nie chcesz, żebym przyjechała?

– Chciałbym, żeby pani najpierw przeczytała ten list!
– Nie chciałbym, żeby pani czytała ten list!

– Proszę, żeby pan stąd wyszedł!
– Proszę, żeby pan stąd nie wychodził!

– Chcę, żebyście przyszli!
– Nie chcę, żebyście przychodzili!

b)
– Chcę, żebyś był grzeczny!
– Chciałbym, żebyś był grzeczny!

– Chcę, żeby państwo obejrzeli ten film!
– Chciałbym, żeby państwo obejrzeli ten film!

– Chcę, żebyście mnie przez chwilę posłuchali!
– Chciałbym, żebyście mnie przez chwilę posłuchali!

– Chcę, żeby pani to zrozumiała!
– Chciałbym, żeby pani to zrozumiała!

– Chcę, żeby on już poszedł!
– Chciałbym, żeby on już poszedł!

c)
– Powinieneś rzucić palenie!
– Nie powinnaś tyle pracować!
– Powinniście odpocząć!
– Powinien pan pójść na wystawę!
– Nie powinna pani tam chodzić sama!
– Powinniście państwo pojechać z nami!

8 Proszę wysłuchać opinii o Ewie, a następnie zanotować wypowiedzi, które wyrażają te uczucia.

1. Irena, studentka Ewy
Bardzo lubię panią Ewę, jest świetną nauczycielką i gdyby pojechała do Londynu, byłoby mi naprawdę smutno.

2. Pani Jasia, sąsiadka Ewy
Nie mam o niej zdania. Nie znam jej dobrze. Czasem spotykamy się na schodach, ale nie rozmawiamy.

3. Paweł Kasprzyk, szef Ewy
Jest bardzo zdolną, bardzo ambitną osobą, ale jest mało energiczna. Gdyby była bardziej pewna siebie, zrobiłaby karierę naukową.

4. Wojtek, kolega Ewy
Jest fajną koleżanką, ale nie rozumiem, dlaczego ciągle mieszka z rodzicami. Gdyby wyprowadziła się z domu, miałaby wreszcie spokój.

5. Jacek, student Ewy
Nie znoszę jej, jest zarozumiała. Nie jest kompetentną osobą, jej lekcje są nudne. Powinna od czasu do czasu iść do klubu potańczyć. To pomaga na stres.

6. Julia, ciotka Ewy
To miła dziewczyna, ale bardzo zamknięta w sobie. Nie wiem, dlaczego jeszcze nie wyszła za mąż. Może miałaby wtedy mniej problemów.

7. Zuzia, kuzynka Ewy
Jest moją kuzynką, ale jej nie lubię. Ma do wszystkich pretensje. Nie powinna mieszkać z rodzicami, bo ciągle się z nimi kłóci.

8. Adam, przyjaciel Ewy
Uwielbiam ją, jest bardzo inteligentną osobą. Powinna kupić sobie samochód, miałaby wtedy więcej czasu.

10 Proszę wysłuchać czterech wypowiedzi i zdecydować, co wyrażają.

1. Napiłbym się kawy.
2. Może poszlibyśmy na dyskotekę?
3. Czy mógłbyś zamknąć okno?
4. To byłoby możliwe.

3 Proszę powtórzyć za lektorem.

a)
– Czy chciałabyś mieszkać w Krakowie?
– Gdzie chciałabyś mieszkać?

– Czy chcielibyście pojechać na wakacje do Indii?
– Dokąd chcielibyście wyjechać na wakacje?

– Czy chciałby pan z nami pracować?
– Gdzie chciałby pan pracować?

– Czy chciałaby pani pójść z nami na kolację?
– Dokąd chciałaby pani pójść dzisiaj wieczorem?

– Czy chciałbyś zwiedzić muzeum Prado?
– Co chciałbyś obejrzeć w Prado?

– Czy chciałybyście pójść nami do zoo?
– Jakie zwierzę chciałybyście zobaczyć w zoo?

b)
Chciałbym mieszkać w Krakowie!
Chciałabym mieszkać w Krakowie!

Chciałbym pojechać na wakacje do Indii!
Chciałabym pojechać na wakacje do Indii!

Chciałbym z wami pracować!
Chciałabym z wami pracować!

Chciałbym pójść z wami na kolację.
Chciałabym pójść z wami na kolację.

Chciałbym zwiedzić muzeum Prado!
Chciałabym zwiedzić muzeum Prado!

Chcielibyśmy pójść z wami do zoo!
Chciałybyśmy pójść z wami do zoo!

lekcja 11

10 Proszę powtórzyć za lektorem.

a)
— To urządzenie jest naprawdę rewelacyjne!
— Ta suszarka ma ładny kolor i nowoczesny kształt.
— Pralka oszczędza czas!
— Mój robot kuchenny ma dużo różnych funkcji.
— Warto kupić to urządzenie!
— To prawdziwa okazja!
— Nie będziesz żałowała!
— Nie będziesz żałował!
— Nie będziecie państwo żałować!
— To naprawdę dobra inwestycja!
— To urządzenie nie działa!
— Lodówka jest chyba zepsuta!

b)
— Czy mógłbyś otworzyć okno?
— Czy możesz wyłączyć telewizor?
— Czy moglibyście poczekać na nas?
— Czy mogłaby pani wyłączyć telefon komórkowy?
— Czy mógłby pan teraz nie rozmawiać z kolegą?

12 Proszę wysłuchać nagrania i zdecydować, o jakim przedmiocie mówią wypowiadające się osoby:

1. Używam go, kiedy chcę posprzątać.
2. Nie mogę bez niej normalnie funkcjonować. Myję codziennie włosy przed wyjściem do pracy i muszę zawsze szybko je wysuszyć.
3. Gotuję tu wszystkie posiłki.
4. Mój znajomy Włoch nie rozumie, dlaczego w każdym polskim domu musi być ten przedmiot. Nie rozumie, że wszyscy tu piją herbatę.

lekcja 12

5 Proszę wysłuchać nagrania i uzupełnić dialogi:

a)
— Dzień dobry. Czy to biuro obsługi klienta?
— Tak, słucham.
— Dzień dobry, dzwonię w sprawie mojego laptopa.
— Co się stało?
— Nie wiem, nie mogę otworzyć edytora tekstu.
— Proszę przyjść do nas i przynieść komputer ze sobą.

b)
— Dzień dobry. Mam problem. Miesiąc temu kupiłem u Państwa komórkę.
— I co się dzieje?
— Nie wiem, nie mogę rozmawiać.
— Proszę do nas przyjść.
— To niemożliwe. Najbliższy punkt obsługi klienta jest 20 kilometrów stąd. Pracuję intensywnie. Nie mam czasu w tygodniu na przyjazd.
— To proszę przyjechać w weekend. Biuro jest otwarte do piętnastej.

8 Proszę wysłuchać nagrania i zdecydować, czy rozmówcy są zadowoleni czy nie ze swoich zakupów.

a)
— Kupiłeś komórkę?
— Tak, ale nie jestem zadowolony z niej. Była trochę za droga. Widziałem podobne, dużo tańsze.

b)
— Masz już bilety na samolot?
— Tak! Dobrze, że kupiłam dzisiaj. Jest specjalna promocja od 16 do 20 lipca! Za lot, który normalnie kosztuje 1000 złotych, zapłaciłam tylko 450!

c)
— Podobno kupiliście nowy samochód. Jaki?
— Fiata Stilo. Jest świetny. W dobrej cenie otrzymujesz produkt wysokiej jakości. To był dobry zakup.

d)
— Macie nowy aparat fotograficzny?
— Tak, Janek kupił niedawno.
— Nie wyglądasz na szczęśliwą.
— Bo nie jestem szczęśliwa! Ja wolałam cyfrowy, ale on nie chciał wydawać za dużo pieniędzy...

9 Proszę powtórzyć za lektorem.

— Jestem bardzo zadowolony z mojego laptopa. Jest wygodny, lekki i mogę z nim podróżować. Jeżeli chcę, mam dostęp do Internetu.
— Jestem bardzo zadowolony z mojego laptopa.

— Mój aparat fotograficzny jest beznadziejny. Trzeba kupować i wywoływać filmy, a to jest bardzo drogie.
— Mój aparat fotograficzny jest beznadziejny.
— To jest bardzo drogie.

— Mam świetne kino domowe. Nie mam czasu, żeby chodzić do kina i mogę oglądać filmy w domu. To jest tanie i wygodne.
— Mam świetne kino domowe.
— To jest tanie i wygodne.

— Mam niezły magnetofon. Jest CD i radio. Jakość jest bardzo dobra. Mój magnetofon jest mały i wygodny.
— Mam niezły magnetofon.
— Jest mały i wygodny.

— Mam nowoczesną kamerę cyfrową, ale nie jestem z niej zadowolona, cały czas się psuje.

– Mam nowoczesną kamerę cyfrową.
– Cały czas się psuje.

– Moja komórka jest O.K. Nie jest super nowoczesna, ale nie dzwonię często, a do moich znajomych wysyłam SMS-y.
– Moja komórka jest O.K.
– Nie jest super nowoczesna, ale nie dzwonię często.

9 **Proszę wysłuchać następujących wypowiedzi i zdecydować, czy chodzi o doradzanie czy odradzanie.**

a) Nie warto tego robić.
b) Trzeba tam pójść.
c) Powinnaś tego spróbować. To smaczne i zdrowe.
d) Nie powinieneś tyle palić.
e) Nie jedz słodyczy. To puste kalorie.
f) Napij się herbaty. To nowy smak. Bardzo oryginalny.

13 **Proszę powtórzyć za lektorem.**

a)
– Jak się czujesz?
– Wszystko w porządku? Czy coś się stało?
– Źle wyglądasz, jesteś chora?
– Jesteś blady, źle się czujesz?

b)
– Świetnie!
– Bardzo dobrze!
– Super!
– Tak sobie...
– Średnio.
– Niezbyt dobrze...
– Źle...
– Fatalnie...

c)
– Wreszcie się wyspałem!
– Mam dziś dobry dzień!
– Jestem szczęśliwy.
– Jestem szczęśliwa.
– Czuję się świetnie.
– Jest mi dobrze.
– Mam świetny humor.
– Jestem w humorze.

d)
– Jestem nieszczęśliwy.
– Czuję się źle. Jest mi źle, smutno.
– Jestem przygnębiona.
– Nie mam humoru.
– Mam kiepski nastrój.
– Boli mnie głowa.
– Ciągle jestem zmęczona.
– Chyba będę chory.
– Nie wyspałam się.
– Mam dziś fatalne samopoczucie.
– Nie mogłam zasnąć.

8 **Proszę wysłuchać reklam radiowych i uzupełnić tekst brakującymi słowami:**

1. Jaskinia solna
Jest najnowszą oryginalną metodą leczenia za pomocą soli morskiej.
Czyste zjonizowane powietrze działa pozytywnie przy:
• chorobach nosa, gardła, płuc
• chorobach serca
• chorobach żołądka
• chorobach dermatologicznych
• nerwicach, stresie
Zakład przyrodoleczniczy „Maria" w Iwoniczu-Zdroju,
ul. Zimna 23
Rezerwacja pobytów: 034 576 89 87
Rezerwacja seansów: 034 536 78 76
Zapraszamy przez 7 dni w tygodniu od 7.00 do 19.00

2. Wakacje w Juracie już od 1000 złotych za tydzień!!! Czyste plaże, cisza, spokój, komfortowe warunki, świetna kuchnia. Hotel „Afrodyta" zaprasza przez cały rok!

3. Werlas to miejscowość położona w Bieszczadach, nad jeziorem Solińskim. Kemping na 200 osób zlokalizowany jest w sąsiedztwie Bieszczadzkiego Parku Narodowego, co daje możliwość poznania fauny i flory tego regionu. Zapraszamy miłośników przyrody i wypoczynku.

10a **Proszę wysłuchać sześciu wypowiedzi i powiedzieć, czy mówiące osoby zachęcają czy zniechęcają do odwiedzania prezentowanych miejsc.**

10b **Proszę posłuchać jeszcze raz nagrania i podkreślić właściwą odpowiedź.**

1. Ten klub? Nieee, jest już niemodny! Nie warto tam iść.
2. Musisz koniecznie tam pójść! Naprawdę świetna kuchnia!
3. Pływanie na łódce? To nie dla mnie. Radzę Ci spróbować windsurfingu! To jest coś!
4. Ta galeria jest fantastyczna! Musisz zobaczyć ostatnią wystawę rysunków Mleczki.
5. Ta nowa galeria handlowa jest beznadziejna. Nic nowego. Wszystko, co tam jest, można dostać w centrum.
6. Nie lubię multipleksów. Proponuję Ci małe kino na Wąskiej. Jest świetna atmosfera i znakomity wybór filmów.

6 **Proszę powtórzyć za lektorem.**

a)
– Chce mi się pić.
– Chcę mi się spać.
– Chce mi się jeść.
– Zimno mi.
– Gorąco mi.
– Niedobrze mi.

b)
– Chce ci się pić?
– Nie chce ci się pić?
– Chce ci się spać?
– Nie chce ci się spać?
– Chce ci się jeść?
– Nie chce ci się jeść?
– Zimno ci?
– Nie jest ci zimno?
– Gorąco ci?
– Nie jest ci gorąco?
– Niedobrze ci?
– Nie jest ci słabo?

c)
– Koniecznie jedźcie w góry!
– Nie jedzcie tego!
– Niech państwo koniecznie pojadą!
– Niech pani posłucha!
– Niech pan usiądzie!
– Idź już!
– Chodź tu!
– Nie jedź jeszcze!
– Nie wyjeżdżaj!

10 Proszę wysłuchać wypowiedzi i zdecydować, co mówią przedstawiane osoby. Czy składają życzenia, wyrazy współczucia czy gratulacje? Proszę uzupełnić tabelę.

a) Kochanie, tak mi przykro, nie wiedziałam, że tata chorował. Nic nie pisałaś, nie dzwoniłaś. Naprawdę, jest nam bardzo smutno.
b) No, stary, dobra robota!
c) Ewuniu, życzę Ci Wesołych Świąt. Jedziesz gdzieś, czy zostajesz w Krakowie?
d) Wiesz, Piotr, naprawdę współczujemy Ci bardzo, gdybyś potrzebował naszej pomocy, dzwoń! Pamiętaj, że jesteśmy z Tobą.
e) No, to kończę już i życzę Wam miłego urlopu!
f) Pani Mario, jestem naprawdę z Pani dumny. Pani praca była najlepsza! Była Pani bezkonkurencyjna! Gratuluję.

12 Proszę powtórzyć za lektorem.

1.
– To była dla mnie bardzo smutna wiadomość.
– Nie wiem, za co będą żyć.
– Prawdę mówiąc, cały czas mam nadzieję, że Kasia zmieni swoją nieodpowiedzialną decyzję.

2.
– Nie rozumiem Wojtka, jest jeszcze młody, dlaczego się żeni?
– Prawdę mówiąc, współczuję mu.

3.
– Bardzo żałuję, że Kasia wychodzi za mąż.
– Cały czas miałem nadzieję, że jeszcze zmieni zdanie.

– Dla mnie ten związek nie ma przyszłości.
– Przecież to śmieszne!

4.
– Bardzo się cieszę, oni naprawdę się kochają, na pewno będą szczęśliwi!
– Mam nadzieję, że w przyszłości Wojtek będzie mógł wreszcie pójść na studia.

5.
– Gratuluję panu!
– Gratuluję pani!
– Bardzo się cieszę!
– Wszystkiego najlepszego!
– Życzę ci wszystkiego najlepszego!
– Bardzo ci współczuję!
– Współczuję panu.
– Współczuję pani.

2 Proszę wysłuchać następujących wypowiedzi i zaznaczyć w odpowiednich rubrykach wyrażenia, które Państwo usłyszeli:

a)
– Nie idę na ten egzamin.
– Nie żartuj. Całą noc siedziałeś przed komputerem, a teraz nie chcesz iść?

b)
– Słyszałeś, że już jest to nowe oprogramowanie?
– Co ty!

c)
– Już dziś możemy oglądać na ekranach, co robią w danym momencie nasi bliscy!
– Nie mogę w to uwierzyć!

d)
– Wierzysz w teleportację?
– Moim zdaniem, to niemożliwe.

e)
– Możemy iść na wirtualny spacer na Alaskę.
– To niesamowite.

f)
– Czy kupić Ci chleb przez Internet, babciu?
– Co ty mówisz, kochanie. Jak to chleb przez Internet?

7 Proszę przeczytać tekst z ćwiczenia 2a w podręczniku, następnie wysłuchać nagrania i porównać wypowiedzi. W każdej znajduje się szczegół, który odróżnia tekst i nagranie. Proszę je odnaleźć.

1. Internet, co to takiego? Nie, teraz serio… Jasne, że korzystam z Internetu, kto nie korzysta? Przede wszystkim wysyłam e-maile do kolegów w Polsce, we Francji. To dużo tańsze niż telefon. Czasem czegoś szukam w Internecie.

2. Siedzę w Internecie zwykle po 60 godzin dziennie. To moja pasja i praca. Ostatnio projektuję profesjonalne witryny i strony internetowe. Jest z tego niezła kasa…

3. No, mamy Internet w domu. Oglądam różne strony i siedzę na czacie. Tata cieszy się, bo on myśli, że szukam jakiś tam rzeczy, no nie wiem, co…

4. Wchodzę do Internetu rzadko, tylko po to żeby wysłać czy odebrać e-maile i kupić książki w księgarni internetowej. Ten cały szum informacyjny to chaos i śmieci. Po prostu strata czasu.

5. Ludzie boją się komputerów, tak jak bali się konsekwencji popularyzacji wynalazków Guttenberga czy braci Lumière. Ludzie zawsze będą bali się tego, co nowe i nieznane. Moim zdaniem ludzie sami wytyczą granice tego, co może i nie powinno być dostępne w Internecie.

6. Siedzę w Internecie po trzy godziny dziennie, głównie na czacie. Są fajne strony. Poznałem sporo ludzi. Szukam roboty na stronach internetowych, które pośredniczą. Ale nic się nie da znaleźć.

7. W domu nie mamy Internetu, chociaż rodziców na to stać, w szkole też nie ma. Chodzę do koleżanki i u niej siedzimy w Internecie. Oglądamy różne strony. Poznałyśmy fajnych Włochów, korespondujemy po angielsku.

8. Córka namówiła nas do zainstalowania Internetu. Przedtem umiałam pisać na komputerze. Mąż nie bardzo chce się uczyć, ale ja siedzę, wysyłam i odbieram e-maile, a poza tym dostaję przez Internet zdjęcia wnuka!

lekcja 18

3a Proszę wysłuchać opinii pięciu osób i zdecydować, co wybiorą:

1. Interesuję się muzyką, ale na rynku jest bardzo mało periodyków poświęconych muzyce, której słucham. Na szczęście jest jeden miesięcznik, w którym jest wiele informacji o rocku.

2. Protestuję przeciw opinii, że gazety dla kobiet są głupie. Może ten miesięcznik nie jest bardzo ambitny, ale nowoczesna kobieta powinna raz na miesiąc przeczytać, co nowego w świecie mody, piękna i co słychać u jej ulubionego aktora czy wokalisty.

3. Za mało jest fachowej publicystyki z dyscypliny, która mnie interesuje. A przecież wokół nas jest tyle brzydkich domów. Może gdyby te periodyki były bardziej popularne, ludzie mieliby lepszy gust? Na szczęście raz na miesiąc wychodzi mój ulubiony magazyn.

4. Muszę codziennie przeczytać, co się dzieje w kraju i na świecie. Dlatego codziennie kupuję w kiosku moją ulubioną gazetę.

5. W mediach dominują złe informacje! Mam już dość. Dlatego nie kupuję gazet codziennych. Ale ponieważ interesuję się sprawami społecznymi, polityką i kulturą, w każdą środę kupuję mój ulubiony tygodnik.

6 Proszę powtórzyć za lektorem.

a)
– Jestem zbulwersowany tym, co pisze prasa.
– Byłam oburzona, kiedy dowiedziałam się, co zrobił ten człowiek.
– To niedopuszczalne, żeby dzieci mogły kupować papierosy!

– Protestuję przeciw takiemu zachowaniu.
– Byłem oburzony, kiedy usłyszałem jego wypowiedź!
– Nie zgadzam się na korupcję!

b)
– Nigdy nie czytam gazet.
– Nie lubię tego pisma.
– Nie znam tego brukowca.
– Nie wiem, co to za czasopismo.

7 Proszę wysłuchać wypowiedzi sześciu osób i zdecydować, przeciwko czemu protestują.

1. Protestuję przeciw pornografii w mediach!

2. Nie zgadzam się na to, żeby można było zalegalizować narkotyki. Narkotyki to śmierć.

3. Nie mogę zaakceptować faktu, że dzieci mogą przed dwudziestą oglądać takie brutalne sceny. Mam dość przemocy w telewizji i w prasie.

4. To skandal, że można kupić artykuł. To niezgodne z etyką dziennikarską.

5. To niedopuszczalne, żeby można było kupić sobie wolność. On powinien siedzieć w więzieniu, ale jego ojciec dużo może, więc spaceruje sobie teraz po mieście.

6. Jestem oburzony tym, że nowa dyrekcja zwolniła tylu pracowników.

19 lekcja

5 Proszę wysłuchać nagrania, a następnie uzupełnić wypowiedzi:

Adam:

Kino czy telewizja? Zdecydowanie telewizja. Nie mam czasu chodzić do kina. W telewizji jest większy wybór programów: publicystyczne, sportowe, seriale. Lubię oglądać sitcomy i programy informacyjne albo filmy. W telewizji mam wybór. Mogę obejrzeć film ambitny lub komercyjny, mogę też leżeć na kanapie i pić herbatę. W sali kinowej jest zimno.

Bogna:

Kino czy telewizja? Zdecydowanie kino. Nie oglądam telewizji i nie lubię, kiedy mój mąż zmienia ciągle kanały. W telewizji nic nie ma, tylko głupie seriale, albo reality show. Lubię filmy w wersji oryginalnej, z napisami, nie lubię dubbingu ani lektora. Informacje? Programy informacyjne w telewizji nie są dobre, choć czasami można obejrzeć dobre programy publicystyczne. Programy rozrywkowe są na bardzo niskim poziomie. Wolę słuchać informacji w radiu albo czytać gazety.

Cecylia:

Kino czy telewizja? I to, i to. Od czasu do czasu chodzę do kina na dobry film w wersji oryginalnej. Kiedy jestem zmęczona, włączam telewizor i oglądam jakiś lekki film albo serial. Lubię też filmy przyrodnicze. A kiedy program jest nudny, po prostu wyłączam telewizor. Natomiast w kinie wybieram tylko ambitny repertuar, nie znoszę komercji i tandety.

9 Proszę wysłuchać trzech dialogów, a następnie zrelacjonować wypowiedzi poszczególnych osób.

1.
Jan: Chcesz iść ze mną do kina?
Anna: Na co?
Jan: Jest bardzo ciekawy dokument o współczesnej kulturze masowej.
Anna: Nie pamiętasz tytułu?
Jan: Niestety, nie, ale czytałem, że to bardzo dobry, ostry film. Dostał wiele nagród w kraju i za granicą.
Anna: No dobrze, o której?
Jan: O siódmej, w „Panoramie".

2.
Ewa: To co w końcu robimy, wychodzimy czy zostajemy?
Piotr: Nie mam ochoty nigdzie wychodzić. Może pożyczymy jakiś film i obejrzymy sobie w spokoju w domu?
Ewa: Z Tobą tak zawsze! Nigdy nie masz ochoty na kino. Po co w ogóle pożyczać film, jeśli możemy po prostu włączyć telewizję. Na pewno znajdziemy coś ciekawego.
Piotr: No dobrze, zobaczmy, co można obejrzeć.

3.
Katarzyna: Jestem zmęczona, poszłabym do kina na jakiś melodramat. Nie poszłabyś ze mną?
Edyta: Chętnie! Podobno grają coś takiego w „Arce". Nie wiesz, co to jest?
Katarzyna: Tak, wiem, chodzi ci o *Miłość nie umiera*?
Edyta: To to! Idziemy?
Katarzyna: Nie wiem, czy to jest to, co chciałam zobaczyć. Ten tytuł... Czy to nie przesada?
Edyta; No, przecież mówiłaś, że chcesz iść na melodramat.
Katarzyna: Dobrze, niech tak będzie.

lekcja 20

7 Proszę wysłuchać nagrania, a następnie odpowiedzieć na pytania.

Andrzej: Tak, słucham?
Rafał: Cześć, stary. Masz chwilę czasu?
Andrzej: Mam, a o co chodzi?
Rafał: Mam problem z drukarką. Muszę wydrukować projekt na jutro i nie mogę. Chyba się zepsuła.
Andrzej: A jest włączona?
Rafał: Tak włączyłem ją, ale nie działa.
Andrzej: Ale włączyłeś ją do kontaktu?
Rafał: Poczekaj, zaraz sprawdzę.
Rafał: Hmm... zapomniałem.
Andrzej: To włącz i spróbuj, czy działa.
(*Rafał sprawdza. Po chwili...*)
Rafał: Teraz działa. Dziękuję, stary.
Andrzej: Nie ma za co. Cześć.

 **KLUCZ** do ćwiczeń

lekcja 1

1

1. smutna, 2. roztrzepany, 3. zabawny, 4. nerwowa

2

1. spontaniczny, 2. zamknięta w sobie, 3. otwarty, 4. odważna, 5. pracowity

3

1. Maria jest smutna, chociaż wygląda na wesołą.
2. On jest zdecydowany, chociaż wygląda na niezdecydowanego.
3. Piotr jest nieśmiały, chociaż wygląda na pewnego siebie.
4. Marek jest dobrze zorganizowany, chociaż wygląda na roztrzepanego.
5. Jan jest otwarty, chociaż wygląda na zamkniętego w sobie.
6. Ewa jest interesująca, chociaż wygląda na nieciekawą.
7. Wojtek jest wrażliwy, chociaż wygląda na cynicznego.

4

1. smutni, 2. nieśmiali, 3. zamknięci w sobie, 4. zdecydowani, 5. nerwowi

5

On jest...	Oni są...	On jest...	Oni są...
sympatyczny	**sympatyczni**	**leniwy**	leniwi
otwarty	otwarci	pracowity	**pracowici**
smutny	smutni	**zdecydowany**	zdecydowani
wesoły	**weseli**	zamknięty	**zamknięci**
głupi	**głupi**	w sobie	**w sobie**
mądry	mądrzy	**spokojny**	spokojni
arogancki	aroganccy	towarzyski	**towarzyscy**

6

opinia pozytywna: a, c, d, e
opinia negatywna: b, f

7

a) Nie rozumiem, dlaczego ją krytykujesz… / … mnie irytuje
b) Trudno powiedzieć coś złego o… / … to bardzo kontrowersyjna osoba
c) Denerwuje mnie… / Masz rację… (Zgadzam się…)
d) Bardzo lubię… / Masz rację… (Zgadzam się…) / … jest bardzo towarzyska…
e) … jest super… / Nie zgadzam się z tobą

8a

2. b, 3. a, 4. a, 5. c, 6. a

8b

1. To znaczy, że reklamują produkty, do których pasuje ich wizerunek.
2. Ponieważ to właśnie ona najbardziej kojarzy się w Polsce z ćwiczeniami fitness i szczupłą sylwetką.
3. Konsumenci cenią nie tylko urodę gwiazd, ale także ich inteligencję, talent czy pracowitość.

8c

1. … którego programy…, 2. … która zdobyła wiele…, 3. … którego książki czytają…, 4. … dla którego ważny jest profesjonalizm…

2 lekcja

1

1. Malarz to człowiek, który maluje obrazy. Malarze, to ludzie, którzy malują obrazy.
2. Pisarz to człowiek, który pisze książki. Pisarze to ludzie, którzy piszą książki.
3. Chemik to człowiek, który przeprowadza eksperymenty. Chemicy to ludzie, którzy przeprowadzają eksperymenty.
4. Komik to człowiek, który bawi publiczność. Komicy to ludzie, którzy bawią publiczność.
5. Aktor to człowiek, który gra w filmie. Aktorzy to ludzie, którzy grają w filmie.
6. Klient to człowiek, który robi zakupy. Klienci to ludzie, którzy robią zakupy.
7. Policjant to człowiek, który pilnuje porządku. Policjanci to ludzie, którzy pilnują porządku.
8. Minister to człowiek, który podejmuje decyzje. Ministrowie to ludzie, którzy podejmują decyzje.
9. Inżynier to człowiek, który projektuje drogi. Inżynierowie to ludzie, którzy projektują drogi.
10. Pediatra to człowiek, który leczy dzieci. Pediatrzy to ludzie, którzy leczą dzieci.
11. Poeta to człowiek, który pisze wiersze. Poeci to ludzie, którzy piszą wiersze.

2

1. Nauczyciel ma dużo pracy, ale jego zarobki nie są wysokie. 2. Biznesmen często pracuje na własny rachunek. 3. Informatyk pisze programy dla firm. 4. Fryzjer ma czasem własny salon. 5. Taksówkarz ma kontakt z ludźmi. 6. Inżynier często prowadzi własną firmę.

3

Dowolnie: dobrzy, profesjonalni, drodzy, pracowici, wymagający, ambitni, cierpliwi

4

Na przykład:
2. naukowcy, profesorowie, fizycy, biolodzy, 3. lekarze, ministrowie, szefowie, dyrektorzy, 4. kierowcy, taksówkarze

5

a) zaczynam, przygotować, prowadzę, kończę, zarabiam

b) etat, rachunek, pracy, wynagrodzenie, średniej, zaufanie

c) ciekawa, atrakcyjna, stresująca, męcząca, monotonna, odpowiedzialna

6

1. szef Lilki
2. żona Mateusza
3. dzieci o mamie – lekarce
4. syn o ojcu – nauczycielu

7

rzeczowniki: 1. kontakt, 4. zarobek / zarobki, 5. spotkanie, 7. zaufanie, 8. wynagrodzenie, 9. koniec

czasowniki: 2. negocjować, 3. odpowiedzieć, 6. ustalać, 10. zaczynać, 11. przygotować

8

1. pisarze, 2. studenci, 3. lekarze

9

2. a, 3. d, 4. b, 5. e, 6. g, 7. f

10

1. a, 2. c, 3. e, 5. b

 lekcja 3

1

mieszkaliśmy, pochodził, dostał, przyjechała, zaczęła, poznała, pobrali się, chodziłem, skończyły, zdawały, dostały się, poszły, wyszły, została, urodziła, chodziłem, trenowałem, biegałem, ćwiczyłem, wyjeżdżaliśmy / wyjeżdżałem, dostałem się, skończyłem, miałem, chciałem, założyliśmy

2

a) pytała, kupowała, kupiła, zobaczyła, zadzwoniła, dostała

b) postanowił, kupił, zapraszał, zaczął, poznał

3

1. w końcu, 2. co tydzień, 3. co miesiąc, 4. w pewnym momencie, 5. długo, 6. od poniedziałku do piątku, 7. pewnego razu

4

a) wychowywała, chodziłam, opowiadała, słuchałam, przyjeżdżała, wyjeżdżała, zaczęłam, bywała, wyjechałam, umarła

b) miałem, wziąłem, jechałem, spóźniłem się, wszedłem, miałem, mogłem, przeprosiłem, opowiedziałem, uwierzyli, była, wyszli

5

1. b) pojechałem / pojechałam
2. a) przeprowadzałem się / przeprowadzałam się, b) przeprowadziłem się / przeprowadziłam się / przeprowadzę się

3. a) otwiera / otwierał, b) otworzył
4. a) przyszedł, b) przychodzi / przychodził
5. a) przyjechał, b) przyjeżdżał
6. a) rozumiałem / rozumiałam, b) zrozumiałem / zrozumiałam

6

aspekt dokonany: b, f
aspekt niedokonany: c, d, e

7

a) 09.09.1967: dziewiątego września tysiąc dziewięćset sześćdziesiątego siódmego,
03.04.1993: trzeciego kwietnia tysiąc dziewięćdziesiątego trzeciego,
23.07.1894: dwudziestego trzeciego lipca tysiąc osiemset dziewięćdziesiątego czwartego,
22.11.1783: dwudziestego drugiego listopada tysiąc siedemset osiemdziesiątego trzeciego

b) 1987 – 1993: od tysiąc dziewięćset osiemdziesiątego siódmego do tysiąc dziewięćset dziewięćdziesiątego trzeciego,
1988 – 1994: od tysiąc dziewięćset osiemdziesiątego ósmego do tysiąc dziewięćset dziewięćdziesiątego czwartego,
1978 – 1981: od tysiąc dziewięćset siedemdziesiątego ósmego do tysiąc dziewięćset osiemdziesiątego pierwszego,
2001 – 2005: od dwa tysiące pierwszego do dwa tysiące piątego

c) kwietniu, marcu, grudniu, czerwcu

8

1989 życie szkolne i zawodowe: chodziła do konserwatywnego liceum; **życie prywatne:** chodziła na koncerty, interesowała się muzyką The Cure

1990 – 1995 życie szkolne i zawodowe: studiowała na Akademii Medycznej we Wrocławiu, dostała stypendium w Belgii, dostała stypendium ministra zdrowia; **życie prywatne:** skończył się jej związek uczuciowy

po roku 1995 życie szkolne i zawodowe: znalazła pracę przy badaniach sponsorowanych przez międzynarodowy koncern, została kierownikiem do spraw badań; **życie prywatne:** urodziła dziecko, ma mieszkanie w Konstancinie i działkę budowlaną pod Warszawą, spędza urlopy w Kenii i Egipcie

9

1. zapraszała swoich przyjaciół artystów; 2. jej ojciec, profesor uniwersytetu, zmarł; 3. dziadek pracował nielegalnie, publikował artykuły i uczył studentów podziemnego uniwersytetu, babcia studiowała historię; 4. archiwistka w Bibliotece Jagiellońskiej; 5. został internowany

4 lekcja

1

1. będzie pracować / pracował
2. będzie, będzie szukać / szukała
3. będę studiować / studiował / studiowała
4. będziemy pracować / pracowali / pracowały

5. będziesz robić / robił / robiła
6. będzie szukać / szukał, będzie szukać / szukała

 2

a) pójdę, dostanę się, będę studiować / studiowała, zrobię, będę mogła
b) kończę / skończę, zdam, dostanę, wyjadę, będę pracować / pracował / pracowała, nauczę się, zdobędę, wrócę, będę mieć / miał / miała
c) wyjadę, będę studiować / studiował / studiowała, będę zajmować / zajmował / zajmowała, poznam, będę tłumaczyć / tłumaczył / tłumaczyła, będę mógł / mogła, spotkam

3

poznacie się, wyjedziecie, pobierzecie się, będziecie, skończy, urodzi, będzie pracować / pracowała, będzie zarabiać / zarabiał

będziecie, pozna, wyjdzie, będzie, wyjedzie, dostanie, zrobi, będzie spotykać / spotykał się, skończy, ożeni się, będziecie, wróci, spotka

 4

1. Jeśli zdasz maturę, pójdziesz na studia.
2. Jeśli dostaniemy staż, wyjedziemy do Niemiec.
3. Jeśli będzie miał pieniądze, pojedzie do Afryki.
4. Jeśli skończą medycynę, będą pracowały w szpitalu.
5. Jeśli wyjedziecie na studia do Warszawy, będziecie musieli znaleźć tam mieszkanie.
6. Jeśli zapisze się na kurs komputerowy, zaprojektuje swoją stronę internetową.
7. Jeśli zdadzą egzamin magisterski, dostaną dyplom.
8. Jeśli nie znajdę pracy, będę pracować / pracował / pracowała na własny rachunek.

 5

1. wykształcenie podstawowe, 2. świadectwo, 3. wykształcenie wyższe, 4. dyplom, 5. wykształcenie średnie, 6. licencjat

6

a) miałem nadzieję, boję się, b) martwię się, wolę nie myśleć, jestem pesymistą / pesymistką, c) obawiam się

7

1. że, 2. co, 3. że, 4. czy, 5. że, 6. co, 7. że, 8. że, 9. że, 10. co, 11. czy

 8

obawa: a, d, e
nadzieja: b, c, f

9

Dzisiejsi 50-latkowie – wizja optymistyczna: Będą rentierami funduszy emerytalnych. Część z nich będzie jeszcze pracować; **wizja pesymistyczna:** Będą ofiarami katastrofy systemu emerytalnego.

Dzisiejsi 20-latkowie – wizja optymistyczna: Będą bogatym proletariatem; **wizja pesymistyczna:** Będą generacją sfrustrowanych bezrobociem buntowników.

Dzieci, które urodzą się za 10–20 lat – wizja optymistyczna:
Będą zdrowe i mądre dzięki dobrej edukacji;

wizja pesymistyczna: Będą samotne. Będą wychowywać się w zatomizowanych rodzinach.

 10

Piotr: skończyłem, **Jan:** przedmiotów, boję się, **Marek:** optymistą, koledzy, **Maria:** oceny, nadzieję, **Ewa:** bałam się, początek, **Helena:** przyszłość, nie boję się

5 lekcja

1

1. w Internecie, 2. tak, 3. zna wiele programów komputerowych, projektuje strony internetowe, 4. dynamicznym, kreatywnym, otwartym, 5. tak, koresponduje w języku angielskim przez Internet, 6. uważa, że praca w agencji reklamowej jest bardzo interesująca

 2a

Anna Stokłosa – 1, 4, 12, 6, 13, 8, 10
Marta Szumilewicz – 9, 11, 2, 14, 3, 5, 7

 2b

Anna Stokłosa – tłumacz w biurze tłumaczeń
Marta Szumilewicz – hostessa

6 lekcja

1

Instytucje i urzędy: kościół, ambasada, poczta, przedszkole, konsulat, komisariat, szpital, firma, przychodnia lekarska, uniwersytet, biuro, szkoła, urząd miasta

Sklepy i usługi: kwiaciarnia, kiosk, supermarket, fryzjer, apteka, sklep, warsztat, informacja, księgarnia, dentysta, centrum handlowe, hotel

Obiekty rekreacyjne: muzeum, pub, kawiarnia, basen, park, stadion, kino, teatr

Transport i ruch drogowy: przejście dla pieszych, parking, przystanek tramwajowy, przystanek autobusowy, rondo, skrzyżowanie, lotnisko, most, światła, dworzec

 2

Proponowane odpowiedzi: 1. uniwersytet, 2. pub, kawiarnia, basen, park, stadion, kino, teatr, 3. ambasada, poczta, konsulat, urząd miasta, 4. kwiaciarnia, kiosk, supermarket, księgarnia, centrum handlowe, 5. kino, teatr, lotnisko, dworzec, 6. (dowolne)

 3

1. przychodni lekarskiej, 2. poczcie, 3. szkole, 4. warsztacie, 5. biurze, 6. firmie, 7. ambasadzie, 8. pubie

4

1. W tym domu jest **ładnie**. 2. W tym mieście jest **brzydko**.
3. W tym klubie jest **ciekawie**. 4. W tej szkole jest **nudno**.
5. W Krakowie jest **sympatycznie**.

ale:

7. Na ulicy jest **mało samochodów**. 8. W tym mieście jest **dużo teatrów**. 9. W przedszkolu jest **mało dzieci**. 10. Na uniwersytecie jest **dużo sal**. 11. W Krakowie jest **dużo parkingów**.

5

1. nowsza, 2. brzydsze, 3. starszy, 4. nowszy

6

1. łagodniejszy, 2. łatwiejsze, 3. cieplejsza

7

1. niższy / starszy, 2. milsza, 3. starszy / niższy, 4. dłuższa

8

1. brzydsza, 2. wyższy, 3. szybsze, 4. dalszy

9

	liczba pojedyncza		liczba mnoga	
mianownik	miasto	kościół	miasta	kościoły
dopełniacz	miasta	kościoła	miast	kościołów
celownik	miastu	kościołowi	miastom	kościołom
biernik	miasto	kościół	miasta	kościoły
narzędnik	miastem	kościołem	miastami	kościołami
miejscownik	mieście	kościele	miastach	kościołach

10

1. miastem, 2. mieście, 3. mieście, 4. miasta, 5. miastu, 6. miastach, 7. miast, 8. miastach, 9. miastami, 10. miasta, 11. miastom

11

1. kościołem, 2. kościoła, 3. kościół, 4. kościele, 5. kościołowi, 6. kościołach, 7. kościołów, 8. kościołami, 9. kościoły

12

1. spokojnie, 2. bogato, 3. cicho, 4. drogo, 5. miło

14

podobieństwo: a, d
różnica: b, c, e

15

1. N, 2. P, 3. P, 4. N

16

1. b, 2. c, 3. a, 4. d

lekcja 7

1

a) 1. długo, 2. mało, 3. długi, 4. trudno, b) 1. trudne, 2. łatwo, 3. nudno, 4. ciekawie, c) 1. ciepło, 2. zimna, 3. ładnie, brzydkie

2

Propozycje zdań przyczynowych:
1. Trzeba segregować śmieci, bo jest ich coraz więcej / zanieczyszczają środowisko.

2. Wolę mieszkać na wsi, ponieważ powietrze jest tam czystsze / życie jest spokojniejsze.
3. Ponieważ mieszkam na wsi / wyprowadziłem się z miasta, mam dużo przestrzeni.
4. Zwierzęta męczą się w zoo, dlatego, że mają za mało przestrzeni / nie mogą żyć na wolności.

3

	liczba pojedyncza		liczba mnoga	
mianownik	**wieś**	zwierzę	**wsie**	zwierzęta
dopełniacz	wsi	zwierzęcia	wsi	**zwierząt**
celownik	wsi	zwierzęciu	**wsiom**	zwierzętom
biernik	wieś	**zwierzę**	wsie	zwierzęta
narzędnik	**wsią**	**zwierzęciem**	**wsiami**	**zwierzętami**
miejscownik	**wsi**	zwierzęciu	**wsiach**	**zwierzętach**

4

1. wieś, 2. wsi, 3. wieś, 4. wieś, 5. wsi, 6. wsią, 7. wsie, 8. wsiach, 9. wsiami, 10. wsi

5

1. zwierzęcia, 2. zwierzęciu, 3. zwierzę, 4. zwierzęciem, 5. zwierzęta, 6. zwierzęta, 7. zwierzętami, 8. zwierzętom, 9. zwierząt

6

argument za: a, c
argument przeciw: b, d

7

1. gospodarstwo rolne, 2. pole, 3. sad, 4. łąka, 5. las

8

1. N, 2. P, 3. N, 4. P

1

	liczba pojedyncza	liczba mnoga
mianownik	złość	złości
dopełniacz	złości	złości
celownik	złości	złościom
biernik	złość	złości
narzędnik	złością	złościami
miejscownik	złości	złościach

2

1. miłości, 2. miłością, 3. miłości, 4. miłość

3

1. niezgodność, 2. złości, 3. nienawiści, 4. niewierności

4

wierność, samotność, starość, młodość, głębokość, ciekawość, pewność siebie, wrażliwość, spontaniczność, niezależność, wesołość

6

nagranie 2: rozwód
nagranie 3: kłótnie o pieniądze

8

1. żebyśmy, 2. żeby, że,
3. żeby, 4. że, 5. że, 6. żeby

9

Propozycje zdań:

1. Chcemy, żeby nasze dziecko było szczęśliwe / żeby nasz związek był udany.
2. Prosimy ich, żeby przyszli punktualnie / zawsze dzwonili do nas w weekend.
3. Mówią, że są zmęczeni / mają za mało czasu dla rodziny.
4. Mówię mu, żeby nie pracował tak długo / spędzał więcej czasu z synem.
5. Oczekujemy, że będzie lojalna / przyjdzie na imieniny Marka.
6. Planuje, że wyjedzie, jak tylko dostanie urlop / ożeni się po studiach.
7. Uważa, że żona za mało czasu poświęca rodzinie / za dużo pracuje.
8. Oni chcą, żeby ich rodzice nie kłócili się / żeby ich dzieci były szczęśliwe.
9. Pragniemy, żeby nasi rodzice chcieli być zawsze razem / poświęcali nam więcej czasu.
10. Wolisz, żeby pracował czy siedział w domu / zarabiał więcej / miał satysfakcję z pracy.

10

życzenie:

Chciałbym, żebyśmy znowu byli razem.
Chcę, żebyś przyszedł.
Nie chcę, żeby rodzice się kłócili.

powinność:

Mówiłem mu, że nie powinien palić.
Muszę z nią porozmawiać.
Czy nie powinieneś iść spać?
Tata mówi mamie, żeby nie pracowała tak dużo.

11

a – f, b – d, c – e, g – h

12

1. b, 2. a, 3. e, 4. d, 5. c, 6. g, 7. f

1a

	liczba pojedyncza	
mianownik	**przyjaciel**	**przyjaciółka**
dopełniacz	przyjaciela	przyjaciółki
celownik	przyjacielowi	przyjaciółce
biernik	**przyjaciela**	**przyjaciółkę**
narzędnik	**przyjacielem**	**przyjaciółką**
miejscownik	przyjacielu	przyjaciółce
	liczba mnoga	
mianownik	**przyjaciele**	**przyjaciółki**
dopełniacz	**przyjaciół**	przyjaciółek
celownik	**przyjaciołom**	przyjaciółkom
biernik	przyjaciół	przyjaciółki
narzędnik	przyjaciółmi	**przyjaciółkami**
miejscownik	**przyjaciołach**	**przyjaciółkach**

1b

1. przyjaciela, 2. przyjaciela, 3. przyjaciela, 4. przyjaciel,
5. przyjacielowi, 6. przyjacielu, 7. przyjaciele, 8. przyjaciółmi,
9. przyjaciół, 10. przyjaciół, 11. przyjaciołom, 12. przyjaciołach

1c

1. przyjaciółkę, 2. przyjaciółkę, 3. przyjaciółki, 4. przyjaciółka,
5. przyjaciółce, 6. przyjaciółce, 7. przyjaciółki, 8. przyjaciółkami,
9. przyjaciółki, 10. przyjaciółek, 11. przyjaciółkom, 12. przyjaciółkach

2

Propozycje zakończeń:

0. Gdybym miał przyjaciela, byłbym szczęśliwy / nie byłbym samotny.
1. Gdybym nie mieszkał z rodzicami, miałbym więcej wolności / płaciłbym więcej za mieszkanie.
2. Gdyby wychodził częściej z domu, poznałby więcej ludzi / miałby więcej przyjaciół.
3. Gdyby wyprowadzili się z domu, nie musieliby słuchać pretensji rodziców / mieliby więcej przestrzeni.
4. Gdybyś nie rozczarował swojej przyjaciółki, byłaby milsza / miałaby więcej czasu dla ciebie.
5. Gdybyście mieli problemy finansowe, moglibyście zawsze poprosić nas o pożyczkę / moglibyście zawsze liczyć na pomoc rodziców.
6. Gdyby mniej kłócili się ze sobą, atmosfera w domu byłaby lepsza / dzieci nie byłyby nieszczęśliwe.

3

1. b, 2. b, 3. c, 4. a, 5. c, 6. c

4

1. sobie, 2. sobie, 3. siebie, 4. sobą

5

1. na, do, 2. na, u, 3. w, 4. w, 5. nad, 6. nad, 7. z, 8. znad, 9. do,
10. od / do / bez

6

1. opowiadali o, 2. liczyć na, 3. ufasz, 4. szanować, 5. myślałam o, 6. troszczę się o, 7. mówiła o, 8. rozczarował / rozczaruje

7

1. Gdyby Ewa pojechała do Londynu, Irena byłaby smutna.
2. Gdyby Ewa wyszła za mąż, miałaby mniej problemów.
3. Gdyby Ewa rozmawiała z sąsiadką, sąsiadka znałaby ją lepiej.
4. Gdyby Ewa nie mieszkała z rodzicami, nie kłóciłaby się z nimi.
5. Gdyby Ewa była bardziej pewna siebie, zrobiłaby karierę naukową.

6. Gdyby Ewa chodziła do klubu, byłaby mniej zestresowana.
7. Gdyby Ewa kupiła samochód, miałaby więcej czasu.

sympatia: jest fajną koleżanką, uwielbiam ją, to miła dziewczyna

antypatia: jest moją kuzynką, ale jej nie lubię, nie znoszę jej

aprobata: jest bardzo zdolną, bardzo ambitną osobą, jest świetną nauczycielką

dezaprobata: nie jest kompetentną osobą, ma do wszystkich pretensje, jest mało energiczna, jest zarozumiała

wypowiedź 1: życzenie, wypowiedź 2: propozycja,
wypowiedź 3: prośba, wypowiedź 4: przypuszczenie

lekcja 10

1. 20% Polaków uważa, że przyjaciel powinien być ciepły i serdeczny.
2. 70% Polaków marzy o tym, że przyjaciel będzie dyskretny / o dyskretnym przyjacielu.
3. 60% Polaków ma nadzieję, że przyjaciel będzie zawsze gotów spędzić z nimi czas.
4. 90% Polaków mówi, że przyjaciel powinien mieć poczucie humoru.
5. 65% Polaków oczekuje, że przyjaciel będzie inteligentny.
6. 90% Polaków uważa, że przyjaciel powinien być niezależny.
7. 70% Polaków chciałoby, żeby przyjaciel miał podobne zainteresowania.
8. 60% Polaków oczekuje, żeby przyjaciel był mniej więcej w tym samym wieku.
9. 20% Polaków ma nadzieję, że będzie pomagał im w pracy.
10. 50% Polaków chce, żeby miał podobne wykształcenie.
11. 50% Polaków oczekuje, że będzie miał podobne poglądy polityczne.
12. 35% Polaków myśli, że powinien mieć podobny zawód.
13. 20% Polaków chciałoby, żeby był atrakcyjny fizycznie.
14. 30% Polaków uważa, że powinien zarabiać tyle samo co oni.

lekcja 11

1. Kiedyś / dawniej nie można było bez problemu kupić mieszkania. 2. Kiedyś / dawniej nie było zmywarek do naczyń. 3. Kiedyś / dawniej łatwo było znaleźć dobrą pracę. 4. Kiedyś / dawniej nie można było płacić w sklepie kartą. 5. Kiedyś / dawniej trudno było kupić dżinsy.

1. W lecie nosi się krótkie spódnice. 2. W szkole uczy się angielskiego. 3. Na uniwersytecie pisze się prace magisterskie. 4. Kiedyś nie jeździło się samochodami. 5. Dawniej nie latało się samolotami. 6. Kiedyś nie rozmawiało się przez telefon.

czasownik: kupić, sprzedać, opłacić

1. sprzątanie mieszkania, 2. prasowanie bluzki, 3. wysyłanie kartki, 4. odkurzanie pokoju

1. przechowywania żywności, 2. odkurzania, 3. zmywania naczyń, 4. gotowania wody

7

1. projektowanie, projektuje, 2. promować, promowanie, 3. kształtowanie, kształtować

8

1. obsługiwać, obsługa, 2. wyglądają, wygląd, 3. manipulować, manipulowanie

9

1. atrakcyjnemu wyglądowi, 2. prasowania, prania, 3. czytania, 4. mówieniem, rozumieniem, 5. projektowaniu

11

a) … jest ładniejszy., b) … strategia, sposób podejścia do przedmiotu., c) … z końca XIX wieku i nowszych., d) … nasycenie dobrami konsumpcyjnymi i nadmierny wybór.

12

wypowiedź 1: odkurzacz , **wypowiedź 3:** kuchenka,
wypowiedź 4: czajnik

12 lekcja

1

1. Kopernik opracował teorię heliocentryczną. 2. Hitlerowcy zniszczyli Warszawę w czasie II wojny światowej. 3. Polacy odbudowywali Warszawę blisko 10 lat. 4. Kolumb odkrył Amerykę. 5. Sowieci okupowali Polskę.

2

1. … został zastosowany…, 2. … została uruchomiona…, 3. … została rozpoczęta…, 4. … zostało zademonstrowane…, 5. … został zaprojektowany…, 6. … został zaprezentowany…

3

1. … został wydrukowany… przez Gutenberga. 2. … został wynaleziony przez Daimlera. 3. … został zbudowany przez Benza. 4. … została założona przez Forda. 5. … został wynaleziony przez Bella. 6. … został skonstruowany przez braci Wright. 7. … został stworzony / została stworzona przez Babbage'a. 8. … została zrealizowana i został zbudowany przez Aikkena. 9. … został wyprodukowany przez firmę Philips. 10. … został wprowadzony przez Goodwina i Eastmana. 11. … został zade-

monstrowany przez braci Lumière. 12. ... została opatento-
wana przez Lauste'a. 13. ... został zrealizowany przez Engela,
Massole'a i Vogta.

samochód: wieku, wpływ; **samolot:** turystyki, firmy;
telefon: zmienił, urządzeniem, dostępny

a)
– Dzień dobry, dzwonię w sprawie mojego laptopa.
– ... otworzyć edytora tekstu.
– ... przyjść do nas i przynieść komputer ze sobą.
b)
– ... się dzieje?
– ... przyjść
– ... weekend, ... piętnastej

     7

4, 2, 3, 1   1. odkładać, 2. zostawiać, 3. podnosić, 4. wybierać

osoba zadowolona: b, c; **osoba niezadowolona:** a, d

lekcja 13

1

Propozycje zakończeń zdań:
1. ... źle reaguje na zmiany pogody.
2. ... jest piękna pogoda i dni są długie.
3. ... nie choruje.
4. ... ale i świeżego powietrza.
5. ... to zrównoważona dieta, bogata w witaminy i mikroelementy.
6. ... dieta bogata w mikroelementy i witaminy.
7. ... mają problemy ze zdrowiem.
8. ... inni ludzie.

2

1. chociaż / ale / jednak, 2. ale, 3. więc, 4. jednak / ale, 5. więc,
6. chociaż, 7. ale / jednak, 8. albo, 9. ale / jednak

3

1. Jeżeli nie lubisz morza, to warto pojechać w góry. 2. Jeżeli
boli cię głowa, to musisz rzucić palenie. 3. Jeżeli masz alergię, to
nie powinnaś jeździć na wieś. 4. Jeżeli boli cię gardło, to nie powinieneś palić. 5. Jeżeli boli ją żołądek, to powinna jeść mniej.
6. Jeżeli ma zły nastrój, to powinien spotkać się z przyjaciółmi.

4

1. Jeżeli nie lubisz morza, pojedź w góry! 2. Jeżeli boli cię głowa, rzuć palenie! 3. Jeżeli masz alergię, nie wyjeżdżaj na wieś!
4. Jeżeli boli cię gardło, nie pal! 5. Jeżeli boli ją żołądek, niech je
mniej! 6. Jeżeli ma zły nastrój, niech spotka się z przyjaciółmi!

1. pić, 2. jeść, 3. zjeść, 4. pić, 5. pojechać / jechać

1. Nie spotykaj się z nim! 2. Nie rób sobie badań! 3. Nie jedz
banana! 4. Nie pij soku! 5. Nie grajmy w tenisa! 6. Nie jedźmy
na wieś!

1. trzeba / warto, 2. można, 3. warto, 4. można, trzeba

8

Propozycje rad:
1. Powinieneś / powinnaś zmienić pracę. Zmień pracę!
2. Nie powinieneś / powinnaś tak dużo pić. Nie pij tak dużo!
3. Powinieneś / powinnaś wziąć tabletkę. Weź tabletkę!
4. Powinieneś / powinnaś więcej odpoczywać, mniej pracować. Więcej odpoczywaj, mniej pracuj!
5. Powinieneś / powinnaś się bardziej zmobilizować do działania. Zmobilizuj się do działania!
6. Powinieneś / powinnaś mniej jeść. / Mniej jedz!

doradzanie: b, c, f
odradzanie: a, d, e

10

2. d, 3. j, 4. h, 5. b, 6. e, 7. g, 8. c, 9. a, 10. f

dobre samopoczucie	złe samopoczucie
– Świetnie!	– Boli mnie głowa...
– Super!	– Ciągle jestem zmęczony / zmę-
– Bardzo dobrze!	czona.
	– Fatalnie się dziś czuję.
	– Fatalnie...
	– Nie wyspałam się.

12

1. ją, 2. nam, 3. jej, 4. ci, 5. im, 6. wam, 7. wam, 8. im, 9. ci

15

raporcie, przygnębiony, nauki, przyjaciół, komputerowe, cierpi,
próby samobójcze, śmiercią, życiowy, alkoholu

16

1. N, 2. P, 3. P, 4. N

1

dzwoń... , pisz... , nie wychodź... , słuchaj... , nie chodź... , kładź się... , ubieraj się... , weź... , nie zapomnij... , spakuj... , pilnuj... , nie zgub... , wróć...

2

1. mojemu dziecku, 2. mojej babci, 3. mojej żonie, 4. mojemu przyjacielowi, 5. mojemu profesorowi, 6. mojemu psu, 7. mojemu koledze

3

1. b) myśl, c) jedź, 2. a) bój się, b) zaufaj, c) weź, 3. a) zaproś, b) martw się, c) zgódź się

4

1. góralski kożuch, 2. czapka krakowska, 3. figurka Smoka Wawelskiego, 4. kryształ, 5. album z Tatrami, 6. biżuteria z bursztynu, 7. lalka ludowa, 8. serce z piernika, 9. ciupaga, 10. haftowana serwetka, 11. drewniany anioł, 12. kierpce, 13. żubrówka, 14. krasnal ogrodowy, 15. porcelanowa filiżanka z wzorem kaszubskim

5

formy biernika:

1. góralski kożuch, 2. czapkę krakowską, 3. figurkę Smoka Wawelskiego, 4. kryształ, 5. album z Tatrami, 6. biżuterię z bursztynu, 7. lalkę ludową, 8. serce z piernika, 9. ciupagę, 10. haftowaną serwetkę, 11. drewnianego anioła, 12. kierpce, 13. żubrówkę, 14. krasnala ogrodowego, 15. porcelanową filiżankę z wzorem kaszubskim

formy celownika:

mamie, tacie, siostrze, bratu, babci, dziadkowi, przyjacielowi, przyjaciółce, żonie, mężowi, dziewczynie, chłopakowi, synowi, córce

6

1. na zachód, 2. na granicy, 3. na południowym wschodzie, 4. na północnym wschodzie, 5. na południu, 6. Pomorzem

7

1. P, 2. P, 3. P, 4. P, 5. N, 6. P, 7. P, 8. P

8

1. leczenia, gardła, żołądka, stresie, 2. plaże, warunki, zaprasza, 3. jeziorem, Parku, fauny, przyrody i wypoczynku

9

Co znajdzie w Polsce amator:
clubbingu – liczne kluby i dyskoteki
zakupów – kompleksy handlowe, rozrywkowe, sklepy, galerie, butiki

kina – multikina ze światowym repertuarem
muzyki hip-hop – mistrzów gatunku
sportów wodnych – windsurfing w Zatoce Puckiej
dobrej kuchni – liczne restauracje

10a

zachęcanie: 2, 3, 4, 6
zniechęcanie: 1, 5

10b

2. b, 3. b, 4. b, 5. a, 6. a

11

1. b, 2. c, 3. a, 4. d

1

Jestem zdenerwowany. – Uspokój się!
Mam migrenę. – Weź tabletkę!
To co, idziemy? – Uważaj! Jest czerwone światło!
Wychodzę. – Weź czapkę, jest bardzo zimno!
Od kilku dni ciągle boli mnie brzuch. – Idź do lekarza!
Jak myślisz, kupić tę spódnicę? – Nie kupuj jej!
Boję się twojego psa. – Nie bój się!

2

Mąż mówi żonie, żeby wzięła tabletkę.
Mówisz koledze, żeby uważał, bo jest czerwone światło.
Matka mówi synowi, żeby wziął czapkę.
Syn mówi ojcu, żeby poszedł do lekarza.
Córka mówi matce, żeby nie kupowała spódnicy.
Mówisz koleżance, żeby nie bała się twojego psa.

3

1. go, 2. ciebie, 3. wami, 4. nim, 5. nimi, 6. niej, 7. ci, 8. mi, 9. wam, 10, nam

4

proszek do prania
maszyna do szycia
maszyna do robienia lodów
coś do picia
coś do jedzenia
czajnik do gotowania wody
piekarnik do pieczenia
łóżko do spania
krzesło do siedzenia

1

Boże Narodzenie: kolędy, Wigilia, choinka, prezenty, 12 potraw
Wielkanoc: malowanie jajek

2

1. Święto Pracy, 2. Wielkanoc, 3. Święto Niepodległości, 4. Nowy Rok

3

1. d, 3. f, 4. b, 5. c, 6. a

4

2. b, 3. c, 4. a, 5. a, 6. a, 7. c

5

1. mu, 2. nam, 3. mi, 4. wam, 5. jej

6

1. kwietniu, 2. dwudziestego trzeciego maja, 3. czternastego lipca tysiąc dziewięćset pięćdziesiątego szóstego roku, 4. pierwszego stycznia

7

zaproponował, zgodziła, postanowili się, zdecydowali

8

1. Bożego Narodzenia, zdrowia, szczęścia i miłości, 2. imienin, wszystkiego najlepszego, 3. Waszego ślubu, miłości, wytrwałości, dzieci, 4. obrony, znalezienia, wielu sukcesów, 5. dobrych ocen, wielu, 6. najgłębszego współczucia

9

2. g, 3. a, 4. b, 5. c, 6. f, 7. e

10

życzenia: c, e
wyrazy współczucia: a, d
gratulacje: b, f

11

1. N, 2. P, 3. N, 4. P, 5. N, 6. P

lekcja **17**

1

1. do czego, 2. czego, 3. z kim, 4. gdzie, 5. dokąd / gdzie / kiedy / z kim, 6. po co / do czego / dlaczego / na kiedy / do kiedy, 7. jak / na kiedy / do kiedy / gdzie / do kogo / dla kogo, 8. jaki / czy, 9. czy / jaką

2

b) Co ty!, c) Nie mogę w to uwierzyć!, d) To niemożliwe!, e) To niesamowite!, f) Co ty mówisz!

3

1. którą, 2. którym,
3. którą, 4. której

4

2. d, 3. b, 4. e, 5. a

5

1. nagrywarka, 2. wyszukiwarka, 3. edytor tekstu

6

a – c – e – f – g – h – d – b

7

1. partnerów, 2. 16, 3. krzyczy, 4. zamówić książki w bibliotece, 5. komputerów, 6. grupy dyskusyjne, 7. rodziców na to nie stać, 8. nie umiała

8a

1. b, 2. a, 3. c

8b

2. a, 3. a, 4. b, 5. c, 6. b

18 lekcja

1

a) pracy w niedzielę, oglądaniu meczu, zwolnieniu z pracy, nocnemu wyjściu dziecka, wysokim cenom, alkoholizmowi, centrom handlowym
b) motoryzacji, przyrodzie, edukacji, historii, kulturze, sprawom społecznym, problematyce politycznej

2

2. a, 3. c, 4. b, 5. d, 6. g, 7. f, 8. i, 9. h

3a

1. e, 2. b, 3. c, 5. a

3b

a) dziennik, b) tygodnik,
c) miesięcznik, d) kwartalnik

4

1. tak, 2. nie, 3. tak

5

1. P, 2. N, 3. P

7

a) przeciw korupcji – osoba 5
b) przeciw kupowaniu tekstów reklamowych – osoba 4
d) przeciw narkotykom – osoba 2
e) przeciw przemocy w mediach – osoba 3
f) przeciw zwolnieniom z pracy – osoba 6

19 lekcja

1

1. b, 2. a, 3. d

2

1. Z powodu deszczu postanowił nie wychodzić z domu.
2. Z powodu brzydkiej pogody zdecydowali się pójść do kina, a nie na spacer. 3. Z powodu złego humoru chciał obejrzeć jakąś komedię. 4. Z powodu zmęczenia nie poszedł na imprezę. 5. Z powodu gorączki nie chciał wychodzić.

3

ponieważ / bo, ponieważ / bo, dlatego

4

M. – Chodźmy do kina!
J. – Nie mam czasu.
M. – Czy będziesz miała czas w sobotę?

J. – Tak. A na co pójdziemy?

M. – Nie martw się, coś znajdę.

J. – Jeśli mam pójść do kina, to muszę wiedzieć, na jaki film.

M. – Chcesz iść na komedię romantyczną?

J. – Nie lubię komedii romantycznych.

M. – Więc na co chciałabyś pójść?

J. – Chętnie obejrzę jakiś film przygodowy.

M. – Filmy przygodowe są dla dzieci. Nie znasz się na dobrym kinie.

J. – Więc ty zdecyduj, na jaki film pójdziemy!

M. – Może jednak lepiej będzie, jeśli pójdziemy do teatru?

J. – Teatr jest nudny, wolę kabaret.

M. – W takim razie sama zdecyduj, gdzie pójdziemy w sobotę!

 5

Adam: zdecydowanie, wybór, informacyjne, ambitny, kanapie

Bogna: kanały, seriale, napisami, publicystyczne, poziomie

Cecylia: i to, i to, wersji, włączam, lekki, znoszę

 6

1. program informacyjny, 2. program dla dzieci, 3. program publicystyczny, 4. sport, 5. serial, 6. program przyrodniczy, 7. program rozrywkowy

 7

a) zapytał, powiedziała, namówiła, poprosił, b) zapytał, powiedziałam, słyszałam, powiedziałam, c) namawiała, powiedziałem, zapytałem, d) poprosił, zapytałam, zapytałam, poprosił

8

1. b, 2. d, 3. c, 4. f, 5. e, 6. g, 7. a

9

sytuacja 1:
Jan zapytał Annę, czy chce pójść z nim do kina. Ona chciała wiedzieć, na jaki film. Powiedział, że jest bardzo ciekawy dokument o współczesnej kulturze masowej. Anna zapytała, czy pamięta tytuł. Odpowiedział, że nie, ale dodał, że to dobry ostry film. Powiedział też, że dostał wiele nagród. Anna zapytała, o której jest godzinie. Odpowiedział, że o ósmej.

sytuacja 2:
Ewa zapytała, co będą robić. Piotr stwierdził, że nie chce nigdzie wychodzić i zaproponował, żeby pożyczyć film i obejrzeć go w spokoju w domu. Ewa powiedziała, że z nim jest zawsze tak samo, że nigdy nie chce wychodzić i zapytała, czy nie lepiej byłoby włączyć telewizję. Piotr zgodził się.

sytuacja 3:
Katarzyna zapytała Edytę, czy nie poszłaby z nią do kina. Powiedziała, że jest zmęczona i chciałaby obejrzeć jakiś melodramat. Edyta powiedziała, że chętnie pójdzie. Dodała, że grają coś takiego w „Arce", ale nie wiedziała dokładnie, co to jest. Katarzyna powiedziała, że chodzi o film *Miłość nie umiera*. Edyta zaproponowała, żeby pójść.
Katarzyna miała wątpliwości, czy na pewno jest to ten film,

który chciała zobaczyć, bo nie podobał jej się tytuł. Edyta nie zrozumiała koleżanki, więc Katarzyna zgodziła się zobaczyć ten film.

 2

1. Wyjeżdżamy na weekend. 2. Nie mogę ci pomóc. 3. Przyjdźcie do mnie do szpitala! 4. Dlaczego Kasia jest smutna? 5. Bądź zawsze zdrowa! 6. Jak się bawiłaś w Sylwestra? 7. Chodźmy do kina! 8. Musimy już iść. 9. Mogę pożyczyć od ciebie książkę?

 3

1. którym, 2. którą, 3. którego, 4. którym, 5. którą, 6. której, 7. którym, 8. któremu

 4

1. żeby, żeby, że, że, że

2. że, że, żeby, że, żeby, żeby

 5

1. c, 2. a, 3. d, 4. b

 6

1. b, 2. d, 3. a, 4. c

7

1. Rafał, 2. drukarka, 3. drukarka nie była włączona do kontaktu

1. Skąd pomysł?

W 1994 roku zaczęła działać w Krakowie nowa szkoła językowa PROLOG. Jest to entuzjastyczny, energiczny i otwarty na nowe pomysły zespół nauczycieli Polaków i obcokrajowców – rodzimych użytkowników nauczanych języków. Skoncentrowaliśmy się na nauczaniu trzech języków: języka angielskiego i niemieckiego oraz języka polskiego jako obcego. Od samego początku nasze metody nauczania determinuje podejście komunikacyjne, które od lat dominuje w nauczaniu języków obcych. Pozwala to naszym studentom na równoległy rozwój wszystkich sprawności językowych oraz stwarza im szansę maksymalnej aktywności językowej na każdym poziomie (nie)znajomości języka.

Programy nauczania języka angielskiego i niemieckiego dla poszczególnych poziomów zaawansowania opracowaliśmy, bazując na standardach nauczania i systemach egzaminacyjnych University of Cambridge Local Examinations Syndicate (obecnie Cambridge ESOL) oraz Instytutu Goethego (obecnie Goethe Institut Internationes).

Wybierając podręczniki, szukamy takich materiałów, które pozwalają nam na przygotowanie ramowych programów nauczania dla poszczególnych grup językowych oraz gwarantują ciągłość materiału na kilkunastu poziomach zaawansowania, na których uczymy. Dlatego zdecydowaliśmy się na serie materiałów renomowanych wydawnictw językowych: Longman, Cambridge University Press, LTP oraz Hueber Verlag.

Na tym tle oferta dydaktyczna do nauczania języka polskiego jako obcego była niezwykle skromna i niekompletna. Dominowały w niej pozycje, które nie wykorzystywały podejścia komunikacyjnego jako sposobu nauczania, co w naszym przekonaniu nie gwarantowało efektywnej nauki mówienia i rozumienia, czytania ze zrozumieniem i pisania w języku polskim. Jednocześnie brak standaryzacji w nauczaniu języka polskiego jako obcego dodatkowo utrudniał jego skuteczne nauczanie.

Korzystając z wieloletnich doświadczeń szkoły w nowoczesnym nauczaniu języków obcych oraz z doświadczeń zebranych przez współpracujących z nami nauczycieli, postanowiliśmy przygotować własne materiały do nauczania języka polskiego jako obcego adresowane do uniwersalnego dorosłego odbiorcy. Taką możliwość dał nam europejski program Socrates / LINGUA 2. Do realizacji w ramach tego programu szkoła PROLOG zgłosiła projekt obejmujący opracowanie koncepcji, napisanie, przetestowanie i wydanie nowoczesnej serii podręczników.

Materiały, które mają Państwo przed sobą, opracowywano przez trzy lata, uwzględniając założenia Europejskiego systemu opisu kształcenia językowego, jak również zgodnie z wytycznymi Państwowej Komisji Poświadczania Znajomości Języka Polskiego jako Obcego. Seria w obecnym kształcie została opracowana z myślą o uczących się do pierwszego certyfikatowego egzaminu na poziomie PL-B1.

2. Akcja Lingua 2 programu Socrates

wspiera projekty, których celem jest opracowywanie materiałów dydaktycznych do nauki języków obcych. Jej celem jest podniesienie standardów w nauczaniu i uczeniu się języków obcych poprzez podnoszenie jakości nauczania oraz tworzenie narzędzi do oceny nabywanych umiejętności językowych.

Zadaniem programu Socrates jest rozszerzanie współpracy europejskiej w dziedzinie edukacji, która obejmuje dzieci, młodzież i dorosłych – od przedszkola po uniwersytet. Celem programu jest kreowanie europejskiego wymiaru w nauczaniu, powiększanie kręgu osobistych doświadczeń o wiedzę na temat innych krajów Wspólnoty, rozwijanie poczucia jedności oraz wspomaganie procesów przystosowywania się do nowych warunków społecznych i ekonomicznych zjednoczonej Europy.

Program edukacyjny Socrates Wspólnota Europejska realizuje w latach 1995–1999 (I faza) oraz 2000–2006 (II faza). Już w roku szkolnym 1996/97 polscy projektodawcy brali w nim udział w ramach działań przygotowawczych. Formalnie Polska przystąpiła do realizacji programu w marcu 1998 roku.

www.socrates.org.pl

3. Autorzy

Autorzy serii to doświadczeni lektorzy języka polskiego współpracujący ze Szkołą Języków Obcych PROLOG i ze Szkołą Języka i Kultury Polskiej Uniwersytetu Jagiellońskiego. Są wykwalifikowanymi nauczycielami, którzy ukończyli studia filologiczne. Ich wieloletnie doświadczenie w pracy dydaktycznej w Polsce i za granicą stanowi istotny atut wykorzystany w pracy nad przygotowaniem podręczników z niniejszej serii.

Agnieszka Burkat

współautorka PO POLSKU 2, PO POLSKU 3 oraz PO POLSKU – Testu Kwalifikacyjnego.

Z wykształcenia romanistka, od 1996 roku pracuje jako lektorka języka polskiego. Mama Jędrka i Zacharego, obecnie kończy psychologię na UJ. Zajmuje się treningiem autogennym i zastosowaniem technik autosugestii w procesie uczenia się. Interesuje się antropologią kulturową i etnografią. Dużo podróżuje, zbiera przepisy kulinarne z całego świata. Lubi długie spacery latem i narty zimą.

Agnieszka Jasińska

współautorka PO POLSKU 2, PO POLSKU 3 oraz PO POLSKU – Testu Kwalifikacyjnego.

Absolwentka filologii romańskiej na Akademii Pedagogicznej w Krakowie. Od 1995 roku pracuje jako nauczycielka języka francuskiego, włoskiego oraz lektorka języka polskiego jako obcego. Prowadzi zajęcia grupowe dla dorosłych i młodzieży w prywatnych szkołach językowych w Krakowie; współpracowała ze Szkołą Języka i Kultury Polskiej UJ. Prowadzi grupowe i indywidualne kursy języka polskiego dla firm i instytucji publicznych. Jest tłumaczką języka francuskiego i włoskiego. Interesuje się muzyką, literaturą, filmem.

dr Liliana Madelska

autorka „Polnisch entdecken" oraz współautorka „Discovering Polish" i „Odkrywamy język polski".

Wykładowczyni z dwudziestopięcioletnim doświadczeniem w nauczaniu języka polskiego jako obcego, autorka publikacji naukowych. Pracuje w Instytucie Slawistyki Uniwersytetu Wiedeńskiego. Uprawia sporty wodne i jeździ na nartach.

Małgorzata Małolepsza

współautorka PO POLSKU 1, PO POLSKU 3 oraz PO POLSKU – Testu Kwalifikacyjnego.

Absolwentka filologii polskiej na Uniwersytecie Jagiellońskim (praca magisterska z zakresu psycholingwistyki); od 1994 roku uczy języka polskiego jako obcego. Na Uniwersytecie ukończyła także kurs dla lektorów języka polskiego jako obcego.

Prowadziła kursy języka polskiego, grupowe i indywidualne kursy specjalistyczne na wszystkich poziomach zaawansowania m.in. w Szkole Języka i Kultury Polskiej UJ, Szkole Języków Obcych PROLOG w Krakowie, GFPS Polska. Od października 2004 roku jest lektorką języka polskiego na Uniwersytecie Georga-Augusta w Getyndze. Interesuje się nowoczesnymi metodami nauczania języków obcych takimi jak NLP i metoda tandemowa. Jej pasje to języki obce, psychologia, muzyka, taniec, pływanie, film.

dr Waldemar Martyniuk

autor opracowania testu przykładowego na poziomie PL-B1, ekspert wewnętrzny projektu.

Językoznawca, adiunkt na Uniwersytecie Jagiellońskim w Krakowie i wykładowca języka polskiego jako obcego oraz autor podręczników, programów nauczania i testów z języka polskiego jako obcego. Sekretarz Państwowej Komisji Poświadczania Znajomości Języka Polskiego jako Obcego (2003–2004); visiting professor i wykładowca języka i kultury polskiej na uniwersytetach w Niemczech, Szwajcarii i w USA; dyrektor Szkoły Języka i Kultury Polskiej UJ (2001–2004). Obecnie (2005–2006) oddelegowany do pracy w Wydziale Polityki Językowej Rady Europy w Strasburgu jako koordynator projektów językowych.

dr Geoffrey Schwartz

współautor „Discovering Polish".

Uzyskał tytuł doktora slawistyki w 2000 roku na Uniwersytecie Waszyngtońskim. Ma ponad dziesięcioletnie doświadczenie w nauczaniu języków obcych – uczył języka polskiego, rosyjskiego, serbsko-chorwackiego i angielskiego jako obcego. Od 2002 roku prowadzi zajęcia z języka angielskiego jako visiting professor w Instytucie Filologii Angielskiej Uniwersytetu Adama Mickiewicza w Poznaniu, gdzie wykłada fonetykę i fonologię. W swoich badaniach naukowych koncentruje się na zastosowaniu fonetyki akustycznej w nauczaniu języków.

Aneta Szymkiewicz

współautorka PO POLSKU 1, PO POLSKU 3 oraz PO POLSKU - Testu Kwalifikacyjnego.

Od 1998 roku jest lektorką języka polskiego jako obcego i prowadzi zajęcia grupowe i indywidualne na wszystkich poziomach zaawansowania w prywatnych szkołach językowych w Krakowie oraz w Szkole Języka i Kultury Polskiej UJ (w tym także kursy specjalistyczne: ekonomiczne i literaturoznawcze). Absolwentka filologii polskiej na Uniwersytecie Jagiellońskim (1997), Studium Dziennikarskiego Akademii Pedagogicznej w Krakowie (1997) oraz Szkoły Przedsiębiorczości i Zarządzania przy Akademii Ekonomicznej w Krakowie (2003). Współpracowała jako dziennikarka z „Przekrojem", „Dziennikiem Polskim" i „Gazetą Wyborczą" („Gazetą w Krakowie"). Zna język angielski, rosyjski i niemiecki. Jej zainteresowania to literatura, muzyka, języki obce, fotografia, taniec i jazda na rolkach.

dr Małgorzata Warchoł-Schlottmann

współautorka „Odkrywamy język polski".

Absolwentka filologii polskiej i filologii romańskiej Uniwersytetu Jagiellońskiego w Krakowie oraz filologii germańskiej na Uniwersytecie w Heidelbergu. Pracuje w Instytucie Slawistyki Uniwersytetu

w Wiedniu. Języka polskiego uczyła na uniwersytetach niemieckich w Heidelbergu, Mannheim, Getyndze, Monachium, Regensburgu oraz na Uniwersytecie Stanowym, Columbus Ohio w USA. Interesuje się odmianami funkcjonalnymi i socjolektami współczesnej polszczyzny i zjawiskami dwujęzyczności.

4. Pomysłodawca i kordynator

PROLOG SZKOŁA JĘZYKÓW OBCYCH, Kraków, Polska

Szkoła językowa działająca w Krakowie od 1994 roku, uznana placówka edukacyjna oferująca kursy języka polskiego jako obcego oraz języka angielskiego i niemieckiego. Opracowuje także nowoczesne pomoce do nauki języków obcych.

Agata Stępnik-Siara

koordynator projektu i redaktor prowadzący serii. Jest dyrektorem programowym Szkoły Języków Obcych PROLOG, lektorem języka niemieckiego i polskiego jako obcego. Zajmuje się nowoczesnymi metodami uczenia (się) języków obcych. Lubi poznawać inne kultury i języki. Interesuje się medycyną naturalną.

5. Partnerzy

UNIWERSYTET WIEDEŃSKI, Instytut Slawistyki, Wiedeń, Austria

W projekcie HURRA!!! recenzent materiałów na różnych etapach ich powstawania, ośrodek testujący i oceniający.

THE BRASSHOUSE LANGUAGE CENTRE, Birmingham, Wielka Brytania

Renomowana szkoła językowa, która prowadzi kursy 25 języków obcych na różnych poziomach zaawansowania.

W projekcie HURRA!!! recenzent materiałów na różnych etapach ich powstawania, ośrodek testujący i oceniający.

SZKOŁA JĘZYKA I KULTURY POLSKIEJ UJ, Kraków, Polska

Znana w świecie instytucja naukowa mająca wieloletnie doświadczenie w nauczaniu języka polskiego jako obcego studentów z całego świata.

W projekcie HURRA!!! ośrodek testujący.

Podziękowania

Szczególne podziękowania pragniemy złożyć na ręce *Pani Profesor Anny Dąbrowskiej* z Uniwersytetu Wrocławskiego. Była silnym wsparciem dla twórców i realizatorów projektu. Jej cenne uwagi oraz sugestie inspirowały nasz zespół, pomagając nam wytrwać do końca w naszych zamiarach i pracować coraz lepiej.

Bardzo serdecznie dziękujemy również *Annie Zinserling* oraz nauczycielom z Kolegium Języka i Kultury Polskiej w Berlinie, którzy testowali pilotażową wersję materiałów.

Dziękujemy gorąco *Pawłowi Poszytkowi*, Koordynatorowi Krajowemu w Agencji Narodowej programu SOCRATES-LINGUA, za instytucjonalne wsparcie oraz wiarę w nasze kompetencje.

Dziękujemy naszym przyjaciołom, *Joasi Czudec* oraz *Magdzie* i *Robertowi Syposzom*. Dzięki ich wiedzy i doświadczeniu pomysły grupy entuzjastów nabrały realnych kształtów.

Agata i Mariusz Siara